MOLIÈRE.

(JEAN-BAPTISTE POQUELIN.)

Heath's Modern Language Series

MOLIÈRE'S

L'AVARE

EDITED WITH AN INTRODUCTION AND NOTES

BY

M. LEVI

PROFESSOR OF FRENCH IN THE UNIVERSITY OF MICHIGAN

D. C. HEATH & CO., PUBLISHERS
BOSTON NEW YORK CHICAGO

1 B 8

PREFACE

THE text of this edition of *L'Avare* is that of the *Grands Écrivains* series, *Molière*, vol. VII. In a number of instances, however, the orthography and punctuation have been modernized.

The editor has freely availed himself of the vast body of Molière literature. He has indicated his sources in cases of special indebtedness.

For valuable suggestions in the preparation of the introduction and notes the editor expresses his hearty thanks to his colleagues, Professor Fred. N. Scott, and Mr. Victor E. François, of the University of Michigan.

ANN ARBOR, November, 1899.

INTRODUCTION

MOLIÈRE

Aimer Molière, en effet, j'entends l'aimer sincèrement et de tout son cœur, c'est, savez-vous? avoir une garantie en soi contre bien des défauts, bien des travers et des vices d'esprit.
— SAINTE-BEUVE.

JEAN-BAPTISTE POQUELIN, afterwards called Molière, was born in Paris on January 15, 1622, as the eldest child of Marie Cressé and her husband Jean Poquelin. His mother died when he was but ten years old. His father was engaged in the service of the king as upholsterer with the title of *tapissier valet de chambre du roi.**

It appears that during Marie Cressé's life Molière was brought up amid the sturdy virtues of a well-ordered bourgeois family. The home, moreover, had a certain elegance, conducive to the development of the aesthetic sense.

The father, though neither loving, large-minded nor generous, nevertheless deserves great credit for having given his son an education, such as, at that time, was enjoyed only by the sons of well-to-do parents. Young Poquelin was educated at the Jesuit Collège de Clermont (now lycée Louis-le-Grand)

* The duties of these officers were as follows: 'Ils aident tous les jours aux valets de chambre à faire le lit du roi; ils ont en garde, aux lieux de séjour de la cour, les meubles de campagne du roi pendant leur quartier (a period of service comprising 3 months) et font les meubles de Sa Majesté.' (Cf. Larroumet, *La Comédie de Molière*, p. 5.)

in Paris (c. 1636–1641). He also received private instruction in philosophy from Gassendi, a follower of Epicurus.

After Molière had finished his humanities, it is said that he went to Orléans in order to study law. It is difficult to say whether he carried his legal studies far enough to obtain a degree, and it is equally uncertain whether he practised law. That Molière possessed considerable legal knowledge, however, is sufficiently attested by three of his comedies: *L'École des Femmes*, *Pourceaugnac* and *Le Malade imaginaire.*

Molière had early imbibed a love for the theatre. His grandfather on the mother's side had often taken him to witness the performances at the *Hôtel de Bourgogne*, and these early impressions were deep enough to last through life. After having finished his studies Molière felt more than ever drawn to the stage, and in 1643, he founded, together with Madeleine Béjart, a theatre bearing the title of *L'Illustre Théâtre.**

While a building was being fitted up for the *Illustre Théâtre*, the troop went to Rouen in Normandy (Corneille's home) in order to give a series of performances. They returned to Paris towards the end of the same year (1643) in order to get ready for their next year's work.

It was then (1644) that Jean-Baptiste Poquelin first assumed the stage-name of 'de Molière'—probably in order to spare the feelings of his family, since actors were then held in very low esteem.

But Paris proved disastrous to them. Two well-established theatres, the *Hôtel de Bourgogne* and the *Marais* enjoyed the favor of the public, and the *Illustre Théâtre* was unable to compete with them—all their attempts to win over the Parisian public were in vain. To crown their misfortunes Molière was thrown into prison for debt, from which he was

---

* Cf. Zeitschrift für neufranzösische Sprache und Litteratur, vol. VIII, p. 43 f. — From the union of Molière's company with those of the *Marais* and the *Hôtel de Bourgogne* dates the origin of the celebrated *Comédie-Française* in Paris (1680).

finally released through friendly aid. It was but natural that such bitter disappointments should have completely disheartened Molière and his troop. They therefore concluded to try their fortunes elsewhere, and so we find them for twelve long years (1646, or 1647 to 1658) travelling through the provinces of France.

A great portion of this period of Molière's life is shrouded in darkness, although a large part of his itinerary has been traced. Cf. Brunetière, *Manuel de l'Histoire de la Littérature française*, p. 172.

Molière derived great advantages from travelling through the provinces which at that time exhibited a kaleidoscopic variety of French customs and manners. As a comedian the poet became acquainted with all sorts and conditions of life, and it is very likely that the prejudices and follies of the great as well as the hypocrisy of many who sheltered themselves under the cloak of religion made him afterwards write so vigorously against everything that is mere sham or title. It seems that Molière allowed nothing to escape him. Donneau de Visé wrote a satirical comedy entitled *Zélinde* (1663), in which the poet is described as follows (Elomire being an anagram of Molière): "*Elomire* n'a pas dit une parole. Je l'ai trouvé appuyé sur une boutique, dans la posture d'un homme qui rêve. Il tenait les *yeux collés* sur trois ou quatre personnes de qualité qui marchandaient des dentelles; il paraissait si attentif à leurs discours, qu'il semblait par le mouvement de ses yeux qu'il regardait *jusqu'au fond de leurs âmes* pour y voir ce qu'elles ne disaient pas."* At Pézenas, moreover, there was preserved for a long time an arm-chair in which Molière used to sit in order to listen to the conversation of the customers of a certain Gély, who was a barber by trade. Such silent reflection on everything that was going on around him forms a characteristic trait of the poet, and during his long wanderings in the

---

* Cf. Petit de Julleville. *Histoire de la Langue et de la Littérature française*, vol. V, p. 23 f.

provinces he found ample opportunity to develop it to the highest degree. Boileau called him the *Contemplateur*. This tendency towards calm observation and reflection increased as he grew older and his experience of life became enlarged.

All in all, it may be said that in his triple occupation of theatrical director, actor and author, Molière could not have passed through a better school than was furnished him by his varied experiences in the provinces. He became acquainted with the reality of life, the hardships he had to undergo made him more serious, and finally he rid himself of all illusions regarding the profession of a comic poet.

The tour in the provinces witnessed the first manifestation of Molière's genius. Two comedies, *L'Étourdi* and *Le Dépit amoureux*, were performed, the former probably in 1655 at Lyon and the latter towards the end of 1656 at Béziers.

In 1658 Molière's troop returned to Paris. On the 24th of October of that year he performed at the Louvre in the presence of Louis XIV and the court *Nicomède* by Corneille and his own *Docteur amoureux*. In 1659 he brought out *Les Précieuses ridicules*, a comedy which may justly be considered the starting point of Molière's great career as a comic poet. This play marks a new era in French comedy. Instead of imitating others Molière took French society as his subject. He attacked at the same time the absurd manners of the *Précieuses* and the false literary taste which then prevailed. With *Les Précieuses ridicules* the poet gained a firm footing in Paris and maintained it to the end in spite of much jealousy and ill-will on the part of his rivals and those who felt that they had been satirized in his comedies.

From 1659–1673 Molière wrote that splendid series of farces and comedies* which raised him to the rank of France's greatest poet, and whose fame extends to the furthermost limits of the civilized world. His uninterrupted activity

* Molière wrote no less than 33 farces and comedies. Of these *Tartuffe*, *Le Misanthrope* and *Les Femmes savantes* are his masterpieces.

during those years must have proved a great drain on his vital powers, especially when it is remembered that, like Shakespeare, he performed at the same time the duties of director, actor and playwright. In 1673, while performing the part of Argan in *Le Malade Imaginaire*, Molière, by a strange irony of fate, became suddenly ill and died shortly afterwards.

With the appreciation of a true poet La Fontaine wrote Molière's epitaph (1673):

> Sous ce tombeau gisent Plaute et Térence,
> Et cependant le seul Molière y gît.
> Il les faisait revivre en son esprit
> Par leur bel art réjouissant la France.
> Ils sont partis! et j'ai peu d'espérance
> De les revoir malgré tous nos efforts.
> Pour un long temps, selon toute apparence,
> Térence, et Plaute, et Molière, sont morts.

The principal traits of Molière's character are his good sense, his kindness and generosity. That he was capable of deep and lasting friendship may be gathered from the testimony of those who entertained friendly relations with him. The poet's seriousness is dwelt upon in all contemporary descriptions of his character.

Molière was not without faults. While travelling in the company of a troop of comedians he contracted some habits which were not conducive to a completely healthy moral life. But after due allowance has been made for his shortcomings, there still remains for our admiration a tender, generous and kind-hearted soul that lived and worked for humanity and made it richer by its experiences.

SOURCES AND HISTORY OF THE PLAY

There are a number of circumstances by which Molière's attention was naturally directed towards the subject of avarice. The first of these is that avarice was much discussed in those times, as may be seen in writers like La Bruyère, Boileau,

Tallemant des Réaux, La Fontaine and others. Moreover, if we are to judge of the character of the elder Poquelin in the light of recent research, it is more than likely that the poet reproduced a number of his father's traits in the character of Harpagon.

Among the stories current then we may mention that of a certain Charles Maslon, Seigneur de Bersy, and his son. The former was a miser and practised usury and the latter borrowed money at a high rate of interest — each without the knowledge of the other. One day the two met under circumstances very much the same as Harpagon and Cléante in *L'Avare*, II, 2. The father exclaimed: "Ah! débauché, c'est toi?" — to which the son replied: "Ah! vieil usurier, c'est vous?"*

Perhaps the most notorious misers known at that time were the lieutenant-criminel Tardieu and his wife. Tallemant des Réaux† speaks of them as follows: "Ils n'ont pour tous valets qu'un cocher: le carrosse est si méchant et les chevaux aussi, qu'ils ne peuvent aller."

Molière, it seems, made use of these and other real or fictitious events — but whether they, or his reading of plays in which avarice formed the subject, gave him his first inspiration cannot be determined.

In the following will be found the principal sources‡ of Molière's comedy. On account of its striking resemblance to *L'Avare* we shall begin with an analysis of the *Aulularia* by Plautus:

Euclio, a poor man, has accidentally discovered a pot of gold which his grandfather had hidden in the house before his death. He is now anxiously watching lest anyone should find

---

* Boisrobert's *Belle Plaideuse* is said to be based on this occurrence.

† Cf. Tallemant des Réaux, *Les Historiettes* (Ed. Monmerqué et Paris), t. III, p. 137.

‡ Cf. *Zeitschrift für neufranz. Sprache u. Litteratur*, vol. VIII, p. 51 ff. — Also *Molière* in the *Grands Écrivains* series, t. VII, p. 14 ff.

out where he has concealed the treasure. His suspicion is aroused by the fact that everybody salutes him more civilly than before, and when Megadorus, a rich gentleman, asks his daughter in marriage, he thinks, that he is aiming at his gold. When, however, the suitor for Phaedra's hand shows his willingness to marry her without a dowry, Euclio gives his consent. While the preparations for the wedding are going on, Euclio goes to the market in order to buy a wedding-present for his daughter. On his return he finds in his house a number of cooks whom Megadorus has sent in order to prepare the marriage feast. He scolds, beats and drives them out because he suspects that they are after his money. He then conceals his pot in the Temple of Faith. Strobilus, a slave of Lyconides, overhears Euclio's conversation concerning the hiding-place of the gold, and he resolves to steal it. The miser, however, discovers the would-be thief just in time to prevent him from carrying out his project. He then takes his pot to an unfrequented grove. The slave overhears him again and he now succeeds in stealing the gold — after watching Euclio from a tree, as the latter is burying his treasure.

As soon as Euclio discovers the loss of his money, he laments most bitterly. Lyconides, a nephew of Megadorus, and also in love with Phaedra, to whom he has done violence, thinking that the miser is lamenting over his daughter, confesses to him his crime. This gives rise to a comical misunderstanding, since Euclio is under the impression that Lyconides is confessing the theft of the pot. Lyconides asks for Phaedra's hand and announces at the same time to the miser that Megadorus has given up his claim to her hand in his favor. When Strobilus informs his master that he has stolen Euclio's treasure, Lyconides orders him to give it up at once so that he may restore it to its rightful owner. The slave is willing to do so on condition that Lyconides will set him free. Here ends Plautus's comedy. There exists a supplement written by Codrus Urceus — an Italian grammarian, according to which Lyconides becomes the son-in-law of Euclio and his heir — for the miser has suddenly become so liberal as to give him all his gold in addition to his daughter. In general outline, the *Aulularia* and *L'Avare* resemble each other very closely — in each there is a miser, a daughter and two lovers of the daughter. The part of Strobilus * becomes that of La Flèche in Molière's comedy. Again in both plays we find a number of servants who are made to suffer from harsh treatment, and who freely give vent to their feelings. Molière produced some fine comic effects by means of these servants.

But although the principal characters of the *Aulularia* reappear in *L'Avare*, their particular treatment differs greatly in the two comedies. The characters newly created by Molière are Cléante, Mariane, Frosine, 'maître' Simon and the Commissaire.

The most general difference between the two misers is that one has been a poor man until he suddenly finds a pot of gold, whereas the other, Harpagon, has always kept up a comparatively big establishment, comprising a large house and garden, a carriage, horses, and a number of servants. Euclio continues the same mode of living as before he found the treasure, and there is nothing in his surroundings to show that he is in good circumstances. Harpagon, on the other hand, exhibits his avarice in the midst of comparative elegance. This difference becomes all the more interesting, since Harpagon's downright niggardliness and sordid avarice form a marked contrast to the "milieu" in which he moves. The result is that he becomes extremely odious, and, at the same time, comic. There are other differences between the two misers, the principal one being that Harpagon is in love, while Euclio is not. To make a miser — and an old miser at that — fall in love, adds much to the comic effect, not only of this character but also of the entire comedy. Moreover, Harpagon is in love with the

* Staphyla also reappears to some extent in Cléante's valet.

same girl as his son. From this difference in the general plan of the two plays arises the necessity of creating most of the additional personages found in *L'Avare*.

If we now consider the purpose of the Latin comedy we shall find that it is not so much to depict the avarice of Euclio, as it is to describe the fate of a pot of gold. Hence the comedy becomes one of situation, whereas *L'Avare* is a comedy of character. Euclio's chief concern is to find a hiding-place for his pot. The effects of his avarice can hardly be said to manifest themselves anywhere very strongly. No one suffers seriously in consequence of it. In *L'Avare*, however, Molière's principal purpose was to show the evil effects of the miser's stinginess upon his children, his sweetheart, his servants, Anselme, Frosine, and even his horses—in short on every one that comes in contact with him. In *L'Avare* all the characters are made to set forth the principal one—thus differing again from the Aulularia in which the characters have a more independent existence. Finally Plautus had in mind an ulterior aim which was partly religious and partly political. The Lares neglected by Euclio have taken vengeance upon him by keeping him poor for a long time. As for the political purpose, Plautus aimed at bringing the rich and poor into closer union by intermarriage between those classes. He holds up before his audience the example of Megadorus.

Of the characters retained in *L'Avare* from the *Aulularia*, it is to be said that what Megadorus has lost in Anselme, Lyconides has gained in Valère. Megadorus seems a man of flesh and blood compared with Anselme. Closely connected with this fact is the unnatural dénouement of *L'Avare*. As for Lyconides, he seems a weakling by the side of Valère—the former acts like a coward who has no will of his own, but is driven about by the force of circumstances. Valère, on the other hand, will risk everything to win the hand of Elise, his beloved. It is to the credit of the French author to have purified the relations between these young people.

A general comparison between the two comedies shows that *L'Avare* is a much more artistic and living production than the *Aulularia*. While the broad outlines of both are the same, the particular age and society in which they were written make them differ widely. But more than this—the superior talent of Molière changed and amplified the comedy of Plautus in so skilful a manner that the *Aulularia* seems a mere sketch when compared with *L'Avare*. There is a charm and finish in the work of Molière that reveals at once the greater genius and a period of higher social refinement.

Among the French sources of *L'Avare* mention is usually made first of *Les Esprits*, a comedy by Larivey (1579). This comedy is founded on several plays, among them the Aulularia. Séverin, an inveterate miser, has a son and a daughter, Urbain and Laurence, who live with him. (Fortuné, another son, has been adopted by the miser's brother, Hilaire). Urbain is secretly in love with Féliciane, and Laurence loves a young man named Désiré. The miser, who is opposed to the plans of his children, is greatly troubled by a treasure that he carries about with him in a purse. Fearing lest some one may get possession of his money, the miser buries his purse. Désiré watches him, steals the purse, and puts it back after having filled it with pebbles. The lover of Laurence, through the intercession of Séverin's brother, Hilaire, restores the money to the miser on condition that he will consent to the marriages of his children, Urbain and Laurence.

From a close comparison between *Les Esprits* and *L'Avare* it appears that Molière made considerable use of the former comedy. Séverin makes himself ridiculous by his avarice, and brings upon himself the hatred of his children through his hard-heartedness. These traits reappear, but more strongly, in *L'Avare*. The special obligation of Molière to Larivey is the recognition scene towards the end of *L'Avare* (V, 5). In *Les Esprits*, the father of *Féliciane*, a rich merchant, reappears after a long absence, and by this timely return the marriage of his daughter is greatly facilitated. Molière is also indebted to Larivey for the relation in which Cléante and Mariane stand to each other (cf. that of Urbain and Féliciane in *Les Esprits*). In Molière's comedy, however, this relation has become purified. Finally, in the order of arrangement of scenes, Molière follows *Les Esprits* more closely than the *Aulularia*.

Another comedy, *La Belle Plaideuse*, by Boisrobert (1654), furnished Molière with a suggestion for the scene between Harpagon and Cléante, where the latter discovers that his father is a usurer (II, 2). (Cf. *Belle Plaideuse*, I, 8.) In the same play our author found a sketch of the memorandum-scene, which he so admirably developed in *L'Avare* (II, 1). All that interests us here in *La Belle Plaideuse* may be summed up as follows: Ergaste, the miser's son, is in love with Corinne. Corinne is in need of money in order to carry on a law-suit for the purpose of recovering an inheritance. The lover tries to borrow the money for her, and succeeds in finding what he wants, but he will have to pay a high rate of interest. When finally lender and borrower meet, they prove to be father and son. This unfortunate outcome of Ergaste's plan induces him to try other means. He finds a second usurer, who is ready to favor him with the loan, provided he will pay eight and one third per cent interest and is willing, moreover, to accept a lot of old rubbish for the larger part of the money.

The valet reports from the usurer:

> Il veut bien vous fournir les quinze mille francs;
> . . . .
> Encore qu'au denier douze il prête cette somme
> Sur bonne caution, il n'a que mille écus (3000 francs)
> Qu'il donne argent comptant.

La Belle Plaideuse ends with the news that Corinne has won her law-suit, and this induces the miser Amidor to give his consent to the double marriage.

There are other resemblances between *La Belle Plaideuse*

and *L'Avare*—all of which point to the fact that Molière made ample use of the former play. Thus, for instance, we find in *La Belle Plaideuse* a double love-intrigue, i.e. in addition to the one mentioned, there is that between Ergaste's sister and Corinne's brother. It is this second love-affair that seems to have suggested to Molière many points for the relation existing between Elise and Valère. As for the misers in *La Belle Plaideuse* and *L'Avare*, we find that in both plays they are wealthy and occupy a certain social position, which is not so with Euclio in the *Aulularia*. Finally, attention may be called to the fact that Filipin, the valet, and La Flèche resemble each other in a number of essential traits.

Molière is also indebted to Quinault's *La Mère coquette*, written in 1665. The comedy contains a double rivalry: Ismène, whose husband is supposed to be dead, tries to win the affection of Acante, the lover of Isabelle, her daughter. Acante, on the other hand, has a rival in his father Crémante, an old miser, who treats his son in a niggardly fashion and is determined to marry the latter's sweetheart. Finally, Ismène's former husband returns after a long absence and the play ends with Acante's happy marriage with Isabelle.

There are other French comedies showing certain close resemblances with *L'Avare*, as *La Veuve* by Larivey, *L'Héritier ridicule* by Scarron, *Les Barbons amoureux* by Chevalier, and *La Dame d'intrigue* by Chappuzeau. In reference to these plays, however, it may be said that we do not know to what extent he was indebted to them; or, indeed, whether he was indebted to them at all.

The principal Italian source used by Molière is the comedy entitled *I Suppositi** by Ariosto (1509). From the following brief analysis the resemblance between this play and *L'Avare* will be readily seen. A wealthy young Sicilian, by the name of Erostrato, has come to Ferrara in order to study law. One

---

* *Opere Minori* di Lodovico Ariosto, tomo II, Firenze, 1857.

day while walking on the street he sees a young lady Polinesta and he falls in love with her. In order to be always near his sweetheart, Erostrato determines to enter the service of her father, Damonio, an old miser; and to accomplish this, he assumes the name of his own servant, Dulippo. He is aided in his project by Polinesta's nurse.* Now it happens that a wealthy old miser Cleandro seeks the same young lady in marriage and finds a favorable hearing with Damonio. The love between Erostrato and Polinesta is finally discovered, and the lover is thrown into prison. The latter, like Valère in *L'Avare*, has won his master's favor to the detriment of a servant Nevola, who now greatly rejoices at the idea of being avenged. Erostrato's father, Filogono, arrives from Sicily just in time not only to free his son from imprisonment but also to bring about his marriage with Polinesta, after Cleandro has renounced his claim to her hand.

Besides the points of resemblance that appear from this analysis we find in *I Suppositi* (I, 2) a parasite, Pasifilo, who flatters Cleandro regarding his looks and age very much as Frosine does Harpagon in *L'Avare* (II, sc. 5).

The claims† which have been advanced in favor of a number of other Italian comedies as being additional sources from which Molière drew may be disregarded, since in some cases such comedies were based, like *L'Avare*, upon the *Aulularia*, as, for instance, *La Sporta* by Gelli, — in others it has been found that the imitation is on the side of the Italians rather than on that of Molière. This is true of plays like *L'Amante tradito*, *Il Dottor bacchettone*, *Le Case svaligiate* and *La Cameriera nobile* — comedies which belonged to the style called "commedia dell'arte" in which the actors had to improvise to a large extent, and whose dates it has been impossible to ascertain. It is difficult to say whether Molière was

* For a similar situation, cf. *L'Avare*, p. 7, l. 11.

† Riccoboni, *Observations sur la comédie et sur le génie de Molière* (Paris, 1736).

acquainted with the works of Lucian and Martial; but if he was, the former's dialogue, "*The Cock or the Dream*," and the latter's epigram IX, 9, may have suggested to him some ideas for *L'Avare*.

For further possible sources, cf. Körting's *Geschichte des französischen Romans im XVII. Jahrhundert* II, p. 70 — *Revue d'Histoire littéraire de la France* I, pp. 38–48.

L'Avare was performed for the first time on the stage of the Palais Royal the 9th of September 1668. The court, whose residence at that time was at Saint-Germain, witnessed a performance of the comedy the 5th of November of the same year. During the closing years of Molière's life *L'Avare* was performed forty-seven times and if we judge by the rather low receipts, as reported in the *Registre* kept by La Grange, it cannot have been a great favorite with the public during the years mentioned. The people, it is said, objected to the too serious vein running through the play. A second reason for this lack of popularity was that *L'Avare* was written in prose. (The general tendency in the 17th century was to write comedies in verse.)

In spite of these and other objections, however, the comedy gained in favor in later times and to this very day it is quite frequently performed at the Comédie-Française. The Germans value *L'Avare* even more highly than the French, and Goethe speaks of it in enthusiastic terms: 'Molière,' said Goethe, 'is so great, that one is astonished anew every time one rereads him. He is unique — his pieces border on the tragic; they are apprehensive; and nobody has the courage to imitate him. His 'Miser,' where vice destroys all love between father and son, is especially great, and in a high sense tragic.' (Cf. Goethe's *Conversations with Eckermann*, May 12th, 1825.) According to the *Grands Écrivains* series, vol. VII, p. 41, there exist eight French poetic versions of the comedy (one incomplete). Moreover, it has been translated into many languages. In English we have two imitations of *L'Avare*, both under the title of 'The Miser,' one by Shadwell (1672), and the other by Fielding (1733).

CHARACTERS

Harpagon

The principal personage of *L'Avare* is Harpagon, the miser. All the remaining characters exist only for the purpose of throwing light upon him. Harpagon is not a miser who has suddenly become enriched, like Euclio in the *Aulularia*,—he has been wealthy for a long time, and keeps up a large establishment. Nor is his avarice of sudden growth. From the descriptions made of him by his children, as well as by Valère, 'maître' Jacques and La Flèche, we learn what kind of a man he was in the past.

The immediate and visible effects of Harpagon's sordid passion show themselves in his excessive suspicion and fear lest any one should learn of the whereabouts of his money and steal it. At the same time his avarice proves a very serious obstacle to his love. But Harpagon is not merely full of anxiety to keep what he has, he makes every effort to increase his wealth by good or bad means, for he has lost all sense of right and wrong. In order to accomplish his purpose he inflicts suffering not only upon his servants and horses, but also upon his children.

Mariane, with whom Harpagon is in love, is a poor girl. When he finally decides to marry her in spite of her poverty, it is because he hopes to make up for the dowry in some other way. (He intends to marry off his children without any marriage-portion.) How much the miser is really in love with Mariane may be inferred from his readiness to give her up when he is asked to choose between her and his stolen money-chest. (Cf. V, 6.)

Considering Harpagon's great avarice, critics have blamed Molière for representing him as being in love, as if love and avarice were incompatible. We may reply to this objection that if Harpagon's love were a very deep and absorbing one, requiring pecuniary sacrifices, such criticism might be valid, but Harpagon does not love in that fashion, his love is entirely selfish. He evidently hopes that his old age will be lightened by the ministrations of a wife, but above all he wants to take to himself a frugal house-keeper, who will look after things and save for him as much as possible, so that he may be enabled to give his entire attention to his own affairs.

Molière, true to nature, paints Harpagon as being a shrewd man at one time and a dupe at another. This apparent inconsistency is well founded and springs from the fact that the miser is constantly thinking of his own interests to further which he readily allows himself to be deluded. So, for instance, when his cash-box is stolen he himself suggests to 'maître' Jacques all the testimony sufficient to convict Valère.

In conclusion we may say of Harpagon that no tender sentiment of any kind, no redeeming feature relieves the darkness of his soul. His avarice has become the ruling passion of his life and the gloom he casts upon all his surroundings is such as to make us forget at times that *L'Avare* is a comedy and not a tragedy.

Cléante

On reading *L'Avare* for the first time one is inclined to sympathize strongly with the ardent lover of Mariane. In fact one is liable to forget the real character of Cléante by reason of this very love-affair which one hopes will turn out happily for the young people. Upon more careful reflection, however, traits are discovered in Cléante that are far from making him appear lovable. Cléante thinks only of his love and of his own interests. Moreover, he wants to play a part in society, even if it be only by means of his fine clothes. The result is that he becomes a spendthrift and is obliged to borrow money at a ruinous rate of interest. This phase of Cléante's character is well described by La Flèche (cf. p. 44, ll. 16–19). Nor can Cléante be considered as possessing much prudence and foresight, otherwise he would not have fallen into a trap when pressed by his father to give his real opinion regarding Mariane.

Cléante's treatment of his father in the presence of Mariane is far from praiseworthy. The scene, moreover, in which Harpagon utters his malediction calls forth from Cléante a pun 'je n'ai que faire de vos dons' — which is comic, it is true, but disrespectful.

Nor is this all. After La Flèche has stolen the money-chest, Cléante's silence makes it possible for Harpagon to accuse two innocent persons, 'maître' Jacques and Valère, and when at last he expresses his willingness to reveal the whereabouts of Harpagon's treasure it is only on condition that the miser will renounce his claims to Mariane. Finally, this is what Cléante says in a fit of anger called forth by his father's avarice: 'Voilà où les jeunes gens sont réduits par la maudite avarice des pères; *et on s'étonne après cela que les fils souhaitent qu'ils meurent* (II, 1).

The only redeeming features in Cléante's character are his unselfish love for Mariane and his readiness to aid a poor and worthy family. On the subject of Cléante critics have also had their say. Why did Molière create such a character? Did he not foresee all the harm such a bad example might cause? It seems almost needless to answer such critics, for it is too evident that it was not the author's intention to hold up Cléante as a model of virtue, whose words and deeds we are to follow. All he wished to do was to illustrate in the character of Cléante the evil effect produced by the avarice of Harpagon.

Elise

Elise's part in *L'Avare* is comparatively insignificant. Having lost her mother all too early, she has since lived under the guidance of her miserly and heartless father. Her engagement to Valère takes place without the knowledge of Harpagon. Moreover, she has permitted Valère to enter the service of her father, in whose house he plays the double part of steward — and lover. However we may look upon these facts (and there are attenuating circumstances), still it cannot be denied that Elise is lacking in that delicacy of sentiment which we might justly expect from her if her mother were still alive.

This lack of delicacy on the part of Elise is also shown in the manner of her refusal to accept Anselme as a husband. Her answers to her father in this connection show that, like Cléante, she does not cherish the least respect for him. When she finally accepts Valère as a judge who is to determine whether Anselme is a fit match for her or not she really makes a dupe of her father, for she knows beforehand that Valère will side with her. All in all, it is clear that Harpagon's influence has been no less harmful to Elise than it has been to Cléante. The greater part of the blame for her bad bringing up falls upon him.

Valère

From the words and actions of Valère it soon becomes evident that he is a man of the world. His love for Elise is so great that he does not hesitate to become a household-officer of Harpagon, so that he may have an opportunity to be always near his sweetheart. In order to insinuate himself into the good graces of the miser he flatters him and adopts his maxims, for according to Valère's philosophy the end justifies the means, although, in theory, he admits that sincerity suffers somewhat in the part he is playing. Valère's faults are atoned for in part by the display of a noble unselfishness which reveals his deep love for Elise.

Mariane

Of all the characters in *L'Avare*, the most interesting and the most lovable is that of Mariane. Although still quite young, she has passed through some very bitter experiences, the principal one of which is the supposed death of her father. As a result of the latter event she and her mother have been living in comparative want. Misfortune, however, has but tended to bring out the more strongly the noble characteristics of Mariane. The tender guidance of a mother whose declining age she tries to brighten, has fostered and brought to their full bloom Mariane's superior virtue, goodness and feminine graces. From what we see of her in the fourth and fifth acts, we are inclined to say with Cléante: "Elle se prend d'un air le plus charmant du monde aux choses qu'elle fait, et l'on voit briller mille grâces en toutes ses actions, une douceur pleine d'attraits, une bonté toute engageante, une honnêteté adorable." Unfortunately Harpagon has fallen in love with her. With trembling heart she looks forward to the moment when she is to see the old miser for the first time. And when she does see him at last how fittingly she gives utterance to her sentiments!

Frank and modest throughout, Mariane will use no underhand means to advance her own interests and that of her lover Cléante; the laws of honor and decorum are dearer to her than any temporary happiness.

MINOR CHARACTERS

The remaining characters explain themselves. The servants 'maître' Jacques, dame Claude, Brindavoine, La Merluche and Cléante's valet La Flèche contribute most largely to the purely comic effects. 'Maître' Jacques above all is extremely comic in his double impersonation of cook and coachman. It is evidently due to the importance he ascribes to himself in this connection that he is so frank in telling his master Harpagon what other people think about him. His treatment of Valère springs from the same cause. As for 'maître' Simon, the part he plays between borrower and lender is not unlike that of Frosine — whose sphere however is confined to love-affairs.

MOLIÈRE'S DRAMATIC SYSTEM

Molière's dramatic system is as varied as life itself. Gifted with remarkable powers of observation, a large fund of good sense, an inimitable humor and a rare felicity of expression, he succeeded in raising comedy to a rank such as it had never held before in French literature. It is equally true that no writer of comedy since Molière's time has been able to reach the height of the master. Whether consciously or not, Molière made comedy serve a serious purpose. His aim was to satirize the foibles of mankind by holding them up to ridicule—*castigat ridendo mores.* According to him it is more difficult to write a good comedy of the kind described than a tragedy. In *La Critique de l'École des Femmes* (sc. VII) Molière himself says: 'I think that it is much easier to soar with noble sentiments, to brave fortune in verse, to arraign destiny and reproach the gods, than to enter, in a fitting manner, into the absurdities of men and to make the faults of all mankind appear pleasant on the stage. When you paint heroes you can do as you like; these are fancy portraits, in which one does not look for a resemblance; you have only to follow your soaring imagination, which often neglects the truth in order to reach the marvellous. But when you paint men, you must paint after nature; the portraits must be likenesses, and you have done nothing if one does not recognize in them the people of your age. In a word, in serious pieces, it suffices, to escape blame, to have good sense, and to write well; but this is not enough in the others: you must have humor also; and it is a difficult undertaking to make gentlefolk laugh.'

While Corneille and Racine allowed themselves to be bound down by hard and fast rules, Molière followed but one rule, and that was to please. To quote his words: 'You are funny people with your rules (of art), with which you embarrass the ignorant and ceaselessly deafen us. To hear you talk, one would think that those rules of art were the greatest mysteries in the world; and yet they are only a few simple observations which good sense has made upon what may mar the pleasure one takes in such poems. The same good sense which once made those observations easily makes them at any time, without the help of Horace and Aristotle. I should like to know whether the greatest rule of all rules is not to please, and whether a play which has attained that end, has not followed the right road.' (Cf. *La Critique de l'École des Femmes*, sc. VII.)

Molière knew but too well that in comedy laughter must prevail, that the bright side of things must always appear, no matter how strongly the sadder aspects of life may urge their claims upon the poet. True to this conception he raised every scene that might otherwise have fitted into a tragedy into the gay regions of mirth and laughter. It is generally only on reflection that we realize the tragic element contained in many of Molière's comedies.

French contemporaneous society furnished the comic poet with splendid opportunities for the display of his humor and the exercise of his keen observation. The result is that his comedies present to us a long procession of the varied types of the men of the *grand siècle*. At the same time it is his great merit to have depicted both universal and individual traits in so skilful a manner as to make him the comic writer par excellence not only of France and the 17th century, but of all ages and of all nations.

The best comedies of Molière may be said to consist in a study of character. All other interests are made subservient to this, his principal aim,—the situations are subordinated to the characters, the intrigue is often insignificant, and the dénouements improbable and hence unsatisfactory. The consequence is that a large part of what now constitutes the art of the stage was practically unknown to the author of *L'Avare*. On the other hand, Molière neglected nothing that would make his characters live before an audience. This character-study was based upon minute and accurate observation — although he did not paint exact portraits, like La Bruyère, nor did he make his characters ideal, as we find them in the classical tragedies. He eliminated insignificant details and confined himself to important traits and characteristics. These he simplified and enlarged in order to suit them to his conception of the comic stage. To make a psychological study of character, to sound the human heart, to penetrate into the very depths of the soul — such were the aims which Molière pursued in his comedies.

One of his modes of dramatic procedure was to create a character with some overpowering passion. This character became the central figure around which all the remaining personages were grouped. So for instance in *L'Avare* it is readily seen that by far the most important character is Harpagon. His children, Valère, Mariane, the servants, etc., interest us chiefly in their relation to the miser, indeed they exist primarily for the purpose of showing in every possible manner what sort of a man he is as a father, master and lover. The result is that Harpagon stands out so clearly from amidst his surroundings that our attention is almost wholly absorbed by him. 'Quand il (Molière) a une fois conçu une situation, un caractère, rien ne l'en distrait, rien ne l'en détourne, tout converge à ce centre unique de sa construction dramatique, même les épisodes, même ces scènes d'amour où il se délecte: nous attendrir sur Mariane, Lucile, sur Elise, n'est-ce pas redoubler en nous la haine ou le blâme de ceux qui molestent ces charmantes créatures?'*

Let us illustrate this point by the first act of *L'Avare*. It will be seen that even in the opening scene some light is thrown upon the character of Harpagon. The interview between Cléante and Elise in sc. II tends to make us further acquainted with the miser. When Harpagon finally appears for the first

---

* Cf. H. Durand, *Molière* (Classique Populaires), p. 228.

time (sc. III), he becomes an admirable exponent of his own character in his encounter with La Flèche. He becomes still better known to us, and that in various ways, in sc. IV, where he is seen in relation to his children. Finally our acquaintance with the hero of the comedy is completed in the most amusing manner by the famous 'sans dot' scene.

But what we have said of the first act is equally true of every succeeding one — and of every scene throughout the play. Another feature no less prominent in Molière's dramatic system is his logic in the development of scenes and acts. With a surprising skill one scene is made to lead up to the next according to the laws of dramatic necessity. From this results the closest connection between all the different parts of any given comedy. Everything is calculated to make the action proceed in such a manner as to become deepened and intensified as it progresses. It seems almost as if we could seize the currents and countercurrents, the resemblances and contrasts by which the poet produces his work of art.

A few words may be given here on a much discussed subject, namely the moral teaching of Molière's comedies. A work of art aims primarily at satisfying artistic and esthetic requirements. Molière knew this too well — he would not be the great artist he is had he disregarded it. But being an ardent nature, of a philosophic turn of mind and a man of the world, he could not help embodying in his comedies lessons that might be useful for the conduct of life, something of permanent value independent of the artistic qualities manifested. Molière, like Shakespeare, intended 'to hold, as 't were, the mirror up to nature; to show virtue her own feature, scorn her own image, and the very age and body of the time his form and pressure.' Both adhered to nature, but neither of them wrote with a view to teaching direct moral lessons. Their aim was to depict human life and for the rest they left it to the world to draw its own conclusions. In the comedies of Molière the foibles of man are turned against himself, he becomes the victim of his own follies, in other words, he is ridiculed and this is perhaps the most effective means of correcting his vices. But whether Molière aims at direct moral lessons or not, the attentive reader cannot fail to discover in him a hidden meaning, a something deeper than the ripple of laughter that plays on the surface. *Les Précieuses Ridicules* shows the absurdity of affectation. *Les Femmes Savantes* ridicules false aspirations. In *Le Bourgeois Gentilhomme* we are warned against the folly of striving after titles that will never fit us. In *Tartuffe* we see how hypocrisy hides itself under the mantle of piety in order to bring about all the more effectively the ruin of every one that comes in contact with it. In *L'Avare* we find that, as the result of his overpowering passion, every generous impulse is suppressed in the miser and a whole family made unhappy through his insatiable greed for money.

It is needless to give further examples in order to point out the deeper element in Molière's comedies — in fact it is only this deeper thought clothed in sparkling humor that imprints upon our poet's productions the stamp of immortality.

From a study of Molière's language and style it appears that his aim was to be natural and true to life. He makes his personages express themselves in a manner most suitable to their characters, conditions and situations, so that they seem to live before us like real beings. In fact it seems as if the master of comedy had shown himself nowhere greater than in the remarkable skill with which he *expresses* the ideas and sentiments of the human heart and mind. Molière's language, like that of Shakespeare, rises and falls with its theme. Neither poet would hesitate to use a vulgar word in order to produce the desired effect and it is just on account of this utter disregard of all conventionalism that both attained to the highest perfection in their art.

BIBLIOGRAPHY

Since most of the recent Histories of French Literature* give ample information on this subject, we subjoin only a brief list of books helpful for the study of Molière and his works.

EDITIONS OF L'AVARE

Molière — *Œuvres complètes*, éd. Despois-Mesnard (Collection des Grands Écrivains), vol. VII.
Lavigne — *L'Avare.* Paris: Hachette, 1893.
Braunholtz — *L'Avare.* Cambridge: University Press, 1897.

GENERAL REFERENCE

Brunetière — *Etudes critiques*, 1re série, Hachette, 1888.
" " " 4me série, Hachette, 1894.
Faguet — *Dix-Septième Siècle.* Lecène, Oudin & Cie, 1893.
Larroumet (G.) — *La Comédie de Molière.* Hachette, 1893.
Sainte-Beuve — *Portraits littéraires*, t. II, Garnier.
" *Nouveaux Lundis*, t. V, Garnier.
" *Port-Royal.* See the table to vol. VII.

---

* Cf. Brunetière, Lanson, Lintilhac.

L'AVARE

ACTEURS[1]

HARPAGON,[2] père de Cléante et d'Élise, et amoureux[3] de Mariane.

CLÉANTE, fils d'Harpagon, amant[3] de Mariane.

ÉLISE, fille d'Harpagon, amante de Valère.

VALÈRE, fils d'Anselme, et amant d'Élise.

MARIANE, amante de Cléante. et aimée d'Harpagon.

ANSELME, père de Valère et de Mariane.

FROSINE,[4] femme d'intrigue.

Maître SIMON, courtier.

Maître[5] JACQUES, cuisinier et cocher d'Harpagon.

LA FLÈCHE,[6] valet de Cléante.

Dame[7] CLAUDE, servante d'Harpagon.

BRINDAVOINE, } laquais d'Harpagon.
LA MERLUCHE, }

Le Commissaire[8] et son Clerc.

La scène est à Paris.

ACTE I

SCÈNE PREMIÈRE

VALÈRE, ÉLISE

VALÈRE.

Hé quoi? charmante Élise, vous devenez mélancolique, après les obligeantes assurances que vous avez eu la bonté de me donner de votre foi?[1] Je vous vois soupirer, hélas! au milieu de ma joie! Est-ce du regret,[2] dites-moi, de m'avoir fait heureux, et vous repentez-vous 5 de cet engagement[3] où[4] mes feux ont pu vous contraindre?

ÉLISE.

Non, Valère, je ne puis pas me repentir de tout[5] ce que je fais pour vous. Je m'y sens entraîner par une trop douce puissance, et je n'ai pas même la force de 10 souhaiter que les choses ne fussent[6] pas. Mais, à vous dire vrai,[7] le succès[8] me donne de l'inquiétude; et je crains fort de vous aimer un peu plus que je ne devrais.

VALÈRE.

Hé! que pouvez-vous craindre, Élise, dans[9] les bontés que vous avez pour moi? 15

ÉLISE.

Hélas! cent choses à la fois: l'emportement d'un père, les reproches d'une famille, les censures du monde; mais plus que tout, Valère, le changement de votre cœur, et cette froideur criminelle dont ceux de votre
5 sexe[1] payent le plus souvent les témoignages trop ardents d'une innocente amour.[2]

VALÈRE.

Ah! ne me faites pas ce tort[3] de juger de moi par les autres. Soupçonnez-moi de tout, Élise, plutôt que de manquer à ce que je vous dois: je vous aime trop pour
10 cela, et mon amour pour vous durera autant que ma vie.

ÉLISE.

Ah! Valère, chacun tient les mêmes discours. Tous les hommes sont semblables par les paroles; et ce n'est que les actions[4] qui les découvrent différents.

VALÈRE.

Puisque les seules actions[5] font connaître ce que nous
15 sommes, attendez donc au moins à juger[6] de mon cœur par elles, et ne me[7] cherchez point des crimes dans les injustes craintes d'une fâcheuse prévoyance. Ne m'assassinez point, je vous prie, par les sensibles coups d'un soupçon outrageux, et donnez-moi le temps de vous
20 convaincre, par mille et mille preuves, de l'honnêteté de mes feux.

ÉLISE.

Hélas! qu'avec facilité on se laisse persuader par les personnes que l'on aime! Oui, Valère, je tiens votre cœur incapable de m'abuser. Je crois que vous m'aimez d'un véritable amour, et que vous me serez fidèle; je n'en veux point du tout douter, et je retranche[1] mon chagrin aux appréhensions du blâme qu'on pourra me donner. 5

VALÈRE.

Mais pourquoi cette inquiétude?

ÉLISE.

Je n'aurais rien à craindre, si tout le monde vous voyait des yeux dont[2] je vous vois, et je trouve en votre personne de quoi avoir raison aux choses[3] que je fais pour vous. Mon cœur, pour sa défense, a tout 10 votre mérite, appuyé du secours d'une reconnaissance[4] où le Ciel m'engage envers vous. Je me représente à toute heure ce péril étonnant[5] qui commença de[6] nous offrir aux regards l'un de l'autre; cette générosité surprenante qui vous fit risquer votre vie, pour dérober la 15 mienne à la fureur des ondes; ces soins pleins de tendresse que vous me fîtes éclater[7] après m'avoir tirée de l'eau et les hommages assidus de cet ardent amour que ni le temps ni les difficultés n'ont rebuté, et qui, vous faisant négliger et parents et patrie, arrête vos pas 20 en ces lieux, y tient en ma faveur votre fortune[8] déguisée, et vous a réduit, pour me voir, à vous revêtir de l'emploi de domestique[9] de mon père. Tout cela fait chez moi sans doute un merveilleux effet; et c'en est assez à mes yeux pour me justifier[10] l'engagement où 25 j'ai pu consentir; mais ce n'est pas assez peut-être pour le justifier aux autres, et je ne suis pas sûre qu'on entre dans mes sentiments.

VALÈRE.

De tout ce que vous avez dit, ce n'est que par mon seul amour que je prétends[1] auprès de vous mériter quelque chose; et quant aux scrupules que vous avez, votre père lui-même ne prend que trop de soin de vous
5 justifier à tout le monde; et l'excès de son avarice, et la manière austère dont il vit avec ses enfants pourraient autoriser des choses plus étranges. Pardonnez-moi, charmante Élise, si j'en[2] parle ainsi devant vous. Vous savez que, sur ce chapitre, on n'en peut pas dire de
10 bien. Mais enfin, si je puis, comme je l'espère, retrouver mes parents, nous n'aurons pas beaucoup de peine à nous le rendre favorable. J'en attends des nouvelles avec impatience et j'en[3] irai chercher moi-même, si elles tardent à venir.

ÉLISE.

15 Ah! Valère, ne bougez d'ici, je vous prie, et songez seulement à vous bien mettre dans l'esprit de mon père.

VALÈRE.

Vous voyez comme[4] je m'y prends, et les adroites complaisances qu'il m'a fallu mettre en usage pour m'introduire à son service; sous quel masque de sym-
20 pathie et de rapports de sentiments je me déguise pour lui plaire, et quel personnage je joue tous les jours avec lui, afin d'acquérir sa tendresse. J'y fais des progrès admirables; et j'éprouve que pour gagner les hommes, il n'est point de meilleure voie que de se parer à leurs
25 yeux de leurs inclinations, que de donner dans[5] leurs maximes, encenser leurs défauts, et applaudir[6] à ce qu'ils font. On n'a que faire d'avoir peur de trop

charger la complaisance; et la manière dont on les joue[1] a beau être visible, les plus fins toujours[2] sont de grandes dupes du côté de la flatterie; et il n'y a rien de si impertinent[3] et de si ridicule qu'on ne fasse avaler, lorsqu'on l'assaisonne en[4] louange. La sincérité souffre 5 un peu au métier[5] que je fais; mais quand on a besoin des hommes, il faut bien s'ajuster à eux; et puisqu'on ne saurait les gagner que par là, ce n'est pas la faute de ceux qui flattent, mais de ceux qui veulent être flattés.

ÉLISE.

Mais que ne[6] tâchez-vous aussi à gagner l'appui de 10 mon frère, en cas que la servante s'avisât[7] de révéler notre secret?

VALÈRE.

On ne peut pas ménager l'un et l'autre; et[8] l'esprit du père et celui du fils sont des choses si opposées, qu'il est difficile d'accommoder ces deux confidences en- 15 semble.[9] Mais vous, de votre part, agissez auprès de votre frère,[10] et servez-vous de l'amitié[11] qui est entre vous deux pour le jeter dans nos intérêts. Il vient. Je me retire. Prenez ce temps[12] pour lui parler; et ne lui découvrez de notre affaire que ce que vous jugerez à 20 propos.

ÉLISE.

Je ne sais si j'aurai la force de lui faire cette confidence.[13]

SCÈNE II

CLÉANTE, ÉLISE

CLÉANTE.

Je suis bien aise de vous trouver seule, ma sœur; et je brûlais de vous parler, pour m'ouvrir à vous d'un secret.

ÉLISE.

Me voilà prête à vous ouïr,[1] mon frère. Qu'avez-
5 vous à me dire?

CLÉANTE.

Bien[2] des choses, ma sœur, enveloppées dans un mot: j'aime.

ÉLISE.

Vous aimez?

CLÉANTE.

Oui, j'aime. Mais, avant que d'aller[3] plus loin, je
10 sais que je dépends d'un père, et que le nom de fils me soumet à ses volontés; que nous ne devons point engager notre foi sans le consentement de ceux dont nous tenons le jour; que le Ciel les a faits les maîtres de nos vœux,[4] et qu'il nous est enjoint de n'en disposer
15 que par leur conduite; que n'étant prévenus d'aucune folle ardeur, ils sont en état de se tromper bien moins que nous, et de voir beaucoup mieux ce qui nous est propre; qu'il en faut plutôt croire[5] les lumières de leur prudence que l'aveuglement de notre passion; et que

l'emportement de la jeunesse nous entraîne le plus souvent dans des précipices fâcheux.[1] Je vous dis tout cela, ma sœur, afin que vous ne vous donniez pas la peine de me le dire; car enfin mon amour ne veut rien écouter, et je vous prie de ne me point faire[2] de remon- 5 trances.

ÉLISE.

Vous êtes-vous engagé, mon frère, avec celle que vous aimez?

CLÉANTE.

Non, mais j'y suis résolu; et je vous conjure encore une fois de ne me point apporter de raisons pour m'en 10 dissuader.

ÉLISE.

Suis-je, mon frère, une si étrange personne?

CLÉANTE.

Non, ma sœur; mais vous n'aimez pas: vous ignorez la douce violence qu'un tendre amour fait sur nos cœurs; et j'appréhende votre sagesse. 15

ÉLISE.

Hélas! mon frère, ne parlons point de ma sagesse. Il n'est personne qui n'en manque, du moins[3] une fois en sa vie; et, si je vous ouvre mon cœur, peut-être serai-je à vos yeux bien moins sage que vous.

CLÉANTE.

Ah! plût au Ciel que votre âme, comme la mienne... 20

ÉLISE.

Finissons auparavant votre affaire, et me dites[1] qui est celle que vous aimez.

CLÉANTE.

Une jeune personne qui loge depuis peu en ces quartiers, et qui semble être faite pour donner[2] de l'amour
5 à tous ceux qui la voient. La nature, ma sœur, n'a rien formé de plus aimable; et je me sentis transporté dès le moment que je la vis.[3] Elle se nomme Mariane, et vit sous la conduite d'une bonne femme de mère[4] qui est presque toujours malade, et pour qui cette aimable fille
10 a des sentiments d'amitié qui ne sont pas imaginables. Elle la sert, la plaint, et la console, avec une tendresse qui vous toucherait l'âme. Elle se prend d'un air le plus charmant[5] du monde aux choses qu'elle fait, et l'on voit briller mille grâces en[6] toutes ses actions; une
15 douceur pleine d'attraits, une bonté toute engageante,[7] une honnêteté adorable, une . . . Ah! ma sœur, je voudrais que vous l'eussiez vue.

ÉLISE.

J'en vois[8] beaucoup, mon frère, dans les choses que vous me dites; et pour comprendre ce qu'elle est, il me
20 suffit que vous l'aimez.[9]

CLÉANTE.

J'ai découvert sous main qu'elles ne sont pas fort accommodées,[10] et que leur discrète conduite[11] a de la peine à étendre à tous leurs besoins le bien qu'elles peuvent avoir. Figurez-vous, ma sœur, quelle joie ce peut être que de relever la fortune[1] d'une personne que l'on aime; que de donner adroitement quelques petits secours aux modestes nécessités d'une vertueuse famille; et concevez quel déplaisir[2] ce m'est de voir que, par l'avarice d'un père, je sois dans l'impuissance de goûter cette joie, et de faire éclater[3] à cette belle aucun témoignage de mon amour. 5

ÉLISE.

Oui, je conçois assez, mon frère, quel doit être votre chagrin.

CLÉANTE.

Ah! ma sœur, il est plus grand qu'on ne peut croire. 10 Car enfin peut-on rien voir de plus cruel que cette rigoureuse épargne qu'on exerce sur nous, que cette sécheresse[4] étrange où l'on nous fait languir? Et que nous servira d'avoir du bien, s'il ne nous vient que dans le temps que nous ne serons plus dans le bel âge d'en 15 jouir, et si pour m'entretenir même, il faut que maintenant je m'engage[5] de tous côtés, si je suis réduit avec vous à chercher tous les jours le secours des marchands, pour avoir moyen[6] de porter des habits raisonnables? Enfin, j'ai voulu vous parler, pour m'aider[7] à sonder 20 mon père sur les sentiments où je suis; et, si je l'y trouve contraire, j'ai résolu d'aller en d'autres lieux, avec cette aimable personne, jouir de la fortune que le Ciel voudra nous offrir. Je fais chercher partout pour ce dessein de l'argent à emprunter; et, si vos affaires, 25 ma sœur, sont semblables aux miennes, et qu'il[8] faille que notre père s'oppose à nos désirs, nous le quitterons là[9] tous deux et nous affranchirons de cette tyrannie où nous tient depuis si longtemps son avarice insupportable.

ÉLISE.

Il est bien vrai que, tous les jours, il nous donne de plus en plus sujet de regretter la mort de notre mère, et
5 que . . .

CLÉANTE.

J'entends sa voix. Éloignons-nous un peu pour nous achever notre confidence; et nous joindrons après nos forces pour venir attaquer la dureté de son humeur.

SCÈNE III

HARPAGON, LA FLÈCHE

HARPAGON.

Hors d'ici tout à l'heure,[1] et qu'on[2] ne réplique pas.
10 Allons, que l'on détale de chez moi, maître juré filou,[3] vrai gibier de potence.

LA FLÈCHE.

Je n'ai jamais rien vu de si méchant que ce maudit vieillard, et je pense, sauf correction,[4] qu'il a le diable
15 au corps.[5]

HARPAGON.

Tu murmures entre tes dents.[6]

LA FLÈCHE.

Pourquoi me chassez-vous?[7]

HARPAGON.

C'est bien à toi, pendard, à me demander[1] des raisons! sors vite, que je ne t'assomme.[2]

LA FLÈCHE.

Qu'est-ce que je vous ai fait?

HARPAGON.

Tu m'as fait que je veux que tu sortes.

LA FLÈCHE.

Mon maître, votre fils, m'a donné ordre de l'attendre. 5

HARPAGON.

Va-t'en[3] l'attendre dans la rue, et ne sois point dans ma maison planté tout droit comme un piquet, à observer ce qui se passe, et faire ton profit de tout. Je ne veux point avoir sans cesse devant moi un espion de mes affaires, un traître, dont les yeux maudits assiègent 10 toutes mes actions, dévorent ce que je possède, et furettent de tous côtés pour voir s'il n'y a rien à voler.

LA FLÈCHE.

Comment diantre voulez-vous qu'on fasse pour vous voler? Êtes-vous un homme volable, quand vous renfermez toutes choses, et faites sentinelle[4] jour et nuit? 15

HARPAGON.

Je veux renfermer ce que bon me semble, et faire sentinelle comme il me plaît. Ne voilà pas de mes mouchards,[1] qui prennent garde à ce qu'on fait? Je tremble[2] qu'il n'ait soupçonné quelque chose de mon argent. Ne serais-tu point homme à aller faire courir le bruit que j'ai chez moi de l'argent caché?

LA FLÈCHE.

5 Vous avez de l'argent caché?

HARPAGON.

Non, coquin, je ne dis pas cela. (*A part.*) J'enrage. Je demande si malicieusement tu n'irais point faire courir le bruit que j'en ai.

LA FLÈCHE.

Hé! que nous importe que vous en ayez ou que vous
10 n'en ayez pas, si c'est pour nous la même chose?

HARPAGON.

Tu fais le raisonneur. Je te baillerai de ce raisonnement-ci[3] par les oreilles. (*Il lève la main pour lui donner un soufflet.*) Sors d'ici, encore une fois.

LA FLÈCHE.

Hé bien! je sors.

HARPAGON.

15 Attends. Ne m'emportes-tu rien?[4]

LA FLÈCHE.

Que vous emporterais-je?

HARPAGON.

Viens ça,[5] que je voie. Montre-moi tes mains.

LA FLÈCHE.

Les voilà.

HARPAGON.

Les autres.

LA FLÈCHE.

Les autres?

HARPAGON.

Oui.

LA FLÈCHE.

Les voilà.[1] 5

HARPAGON.

N'as-tu rien mis ici dedans?

LA FLÈCHE.

Voyez vous-même.

HARPAGON. (*Il tâte le bas de ses chausses.*)

Ces grands hauts-de-chausses[2] sont propres à devenir les recéleurs des choses qu'on dérobe; et je voudrais qu'on en eût fait pendre quelqu'un.[3] 10

LA FLÈCHE.

Ah! qu'un homme comme cela mériterait bien ce qu'il craint! et que j'aurais de joie à le voler!

HARPAGON.

Euh?

LA FLÈCHE.

Quoi?

HARPAGON.

Qu'est-ce que tu parles de voler? 15

LA FLÈCHE.

Je dis que vous fouillez[1] bien partout, pour voir si je vous ai volé.

HARPAGON.

C'est ce que je veux faire.

(*Il fouille dans les poches de la Flèche.*)

LA FLÈCHE.

La peste soit de l'avarice et des avaricieux![2]

HARPAGON.

5 Comment? que dis-tu?

LA FLÈCHE.

Ce que je dis?

HARPAGON.

Oui. Qu'est-ce que tu dis d'avarice et d'avaricieux?

LA FLÈCHE.

Je dis que la peste soit de l'avarice et des avaricieux.

HARPAGON.

De qui veux-tu parler?

LA FLÈCHE.

10 Des avaricieux.

HARPAGON.

Et qui sont-ils ces avaricieux?

LA FLÈCHE.

Des vilains et des ladres.[3]

HARPAGON.

Mais qui est-ce que tu entends par là?

LA FLÈCHE.

De quoi vous mettez-vous en peine?

HARPAGON.

Je me mets en peine de ce qu'il faut.

LA FLÈCHE.

Est-ce que vous croyez que je veux parler de vous?

HARPAGON.

Je crois ce que je crois; mais je veux que tu me dises à qui tu parles quand tu dis cela. 5

LA FLÈCHE.

Je parle . . . je parle à mon bonnet.[1]

HARPAGON.

Et moi, je pourrais bien parler à ta barrette.[2]

LA FLÈCHE.

M'empêcherez-vous de maudire les avaricieux?

HARPAGON.

Non; mais je t'empêcherai de jaser et d'être insolent. 10 Tais-toi.

LA FLÈCHE.

Je ne nomme personne.

HARPAGON.

Je te rosserai, si tu parles.

LA FLÈCHE.

Qui se sent morveux, qu'il se mouche.[1]

HARPAGON.

Te tairas-tu?

LA FLÈCHE.

Oui, malgré moi.

HARPAGON.

5 Ha, ha!

LA FLÈCHE, *lui montrant une des poches de son justaucorps.*[2]

Tenez, voilà encore une poche: êtes-vous satisfait?

HARPAGON.

Allons, rends-le moi sans te fouiller.[3]

LA FLÈCHE.

Quoi?

HARPAGON.

Ce que tu m'as pris.

LA FLÈCHE.

10 Je ne vous ai rien pris du tout.

HARPAGON.

Assurément?

LA FLÈCHE.

Assurément.

HARPAGON.

Adieu: va-t'en à tous les diables.

LA FLÈCHE.

Me voilà fort bien congédié.

HARPAGON.

Je te le mets sur ta conscience, au moins. Voilà un pendard de valet qui m'incommode fort, et je ne me plais point à voir ce chien de boiteux-là.[1] 5

SCÈNE IV

ÉLISE, CLÉANTE, HARPAGON

HARPAGON.

Certes, ce n'est pas une petite peine que de garder chez soi une grande somme d'argent; et bienheureux qui a tout son fait[2] bien placé, et ne conserve seulement que ce qu'il faut pour sa dépense. On n'est pas peu embarrassé à inventer dans toute une maison une cache[3] fidèle; 10 car pour moi, les coffres-forts me sont suspects, et je ne veux jamais m'y fier: je les tiens justement une franche amorce à voleurs, et c'est toujours la première chose que l'on va attaquer. Cependant je ne sais si j'aurai bien fait d'avoir enterré[4] dans mon jardin dix mille écus[5] 15 qu'on me rendit hier. Dix mille écus en or chez soi est[6] une somme assez . . .

(*Ici le frère et la sœur paraissent s'entretenants*[7] *bas.*)

O Ciel! je me serai trahi moi-même: la chaleur m'aura emporté, et je crois que j'ai parlé haut en raisonnant tout seul. Qu'est-ce? 20

CLÉANTE.

Rien, mon père.

HARPAGON.

Y a-t-il longtemps que vous êtes là?

ÉLISE.

Nous ne venons que d'arriver.

HARPAGON.

Vous avez entendu . . .

CLÉANTE.

5 Quoi, mon père?

HARPAGON.

Là . . .[1]

ÉLISE.

Quoi?

HARPAGON.

Ce que je viens de dire.

CLÉANTE.

Non.

HARPAGON.

10 Si fait, si fait.[2]

ÉLISE.

Pardonnez-moi.[3]

HARPAGON.

Je vois bien que vous en avez ouï quelques mots. C'est que je m'entretenais en[4] moi-même de la peine qu'il y a aujourd'hui à trouver de l'argent, et je disais 15 qu'il est bienheureux qui[5] peut avoir dix mille écus chez soi.

CLÉANTE.

Nous feignions à[1] vous aborder, de peur de vous interrompre.

HARPAGON.

Je suis bien aise de vous dire cela, afin que vous n'alliez pas prendre les choses de travers et vous imaginer que je dise que c'est moi qui ai dix mille écus. 5

CLÉANTE.

Nous n'entrons point dans vos affaires.

HARPAGON.

Plût à Dieu que je les eusse, dix mille écus!

CLÉANTE.

Je ne crois pas . . .

HARPAGON.

Ce serait une bonne affaire pour moi.

ÉLISE.

Ce sont des choses . . . 10

HARPAGON.

J'en aurais bon besoin.[2]

CLÉANTE.

Je pense que . . .

HARPAGON.

Cela m'accommoderait fort.[3]

ÉLISE.

Vous êtes . . .

HARPAGON.

Et je ne me plaindrais pas, comme je fais, que le temps est misérable.[1]

CLÉANTE.

Mon Dieu! mon père, vous n'avez pas lieu de vous
5 plaindre, et l'on sait que vous avez assez de bien.

HARPAGON.

Comment? j'ai assez de bien! Ceux qui le disent en ont menti.[2] Il n'y a rien de plus faux; et ce sont des coquins qui font courir tous ces bruits-là.

ÉLISE.

Ne vous mettez point en colère.

HARPAGON.

10 Cela est étrange[3] que mes propres enfants me trahissent et deviennent mes ennemis!

CLÉANTE.

Est-ce être votre ennemi, que de dire que vous avez du bien?

HARPAGON.

Oui: de pareils discours et les dépenses que vous faites
15 seront cause qu'un de ces jours on me viendra chez moi couper la gorge,[4] dans la pensée que je suis tout cousu de pistoles.[5]

CLÉANTE.

Quelle grande dépense est-ce que je fais?

HARPAGON.

Quelle?[1] Est-il rien de plus scandaleux que ce somptueux équipage[2] que vous promenez par la ville? Je querellais hier votre sœur; mais c'est encore pis. Voilà qui crie vengeance au Ciel; et, à vous prendre depuis 5 les pieds jusqu'à la tête, il y aurait là de quoi faire une bonne constitution.[3] Je vous l'ai dit vingt fois, mon fils, toutes vos manières[4] me déplaisent fort: vous donnez furieusement dans le marquis; et, pour aller ainsi vêtu, il faut bien que vous me dérobiez. 10

CLÉANTE.

Hé! comment vous dérober?

HARPAGON.

Que sais-je? Où pouvez-vous donc prendre de quoi entretenir l'état[5] que vous portez?

CLÉANTE.

Moi, mon père? C'est que je joue; et comme je suis fort heureux, je mets sur moi tout l'argent que je gagne. 15

HARPAGON.

C'est fort mal fait. Si vous êtes heureux au jeu,[6] vous en devriez profiter, et mettre à honnête[7] intérêt l'argent que vous gagnez, afin de le trouver un jour. Je voudrais bien savoir, sans parler du reste, à quoi servent tous ces rubans[8] dont vous voilà lardé depuis les pieds jusqu'à la 20

tête, et si une demi-douzaine d'aiguillettes[1] ne suffit pas pour attacher un haut-de-chausses? Il est bien nécessaire d'employer de l'argent à des perruques,[2] lorsque l'on peut porter des cheveux de son cru, qui ne coûtent
5 rien. Je vais gager qu'en perruques et rubans, il y a du moins vingt pistoles; et vingt pistoles rapportent par année dix-huit livres six sols huit deniers, à ne les placer qu'au denier douze.[3]

CLÉANTE.

Vous avez raison.

HARPAGON.

10 Laissons cela, et parlons d'autre affaire. Euh? Je crois qu'ils se font signe l'un à l'autre de me voler ma bourse. Que veulent dire ces gestes-là?

ÉLISE.

Nous marchandons, mon frère et moi, à qui[4] parlera le premier, et nous avons tous deux quelque chose à
15 vous dire.

HARPAGON.

Et moi, j'ai quelque chose aussi à vous dire à tous deux.

CLÉANTE.

C'est de mariage, mon père, que nous désirons vous parler.

HARPAGON.

Et c'est de mariage aussi que je veux vous entretenir.

ÉLISE.

20 Ah! mon père.

HARPAGON.

Pourquoi ce cri? Est-ce le mot, ma fille, ou la chose, qui vous fait peur?

CLÉANTE.

Le mariage peut nous faire peur à tous deux, de la façon que[1] vous pouvez l'entendre; et nous craignons que nos sentiments ne soient pas d'accord avec votre choix. 5

HARPAGON.

Un peu de patience. Ne vous alarmez point. Je sais ce qu'il faut à tous deux; et vous n'aurez ni l'un ni l'autre aucun lieu de vous plaindre de tout ce que je prétends faire. Et pour commencer par un bout:[2] avez-vous vu, dites-moi, une jeune personne appelée Mariane, qui ne loge pas loin d'ici? 10

CLÉANTE.

Oui, mon père.

HARPAGON.

Et vous?

ÉLISE.

J'en ai ouï parler. 15

HARPAGON.

Comment, mon fils, trouvez-vous cette fille?

CLÉANTE.

Une fort charmante personne.

HARPAGON.

Sa physionomie?

CLÉANTE.

Toute honnête[1] et pleine d'esprit.

HARPAGON.

Son air et sa manière?[2]

CLÉANTE.

Admirables, sans doute.

HARPAGON.

Ne croyez-vous pas qu'une fille comme cela mériterait
5 assez que l'on songeât à elle?

CLÉANTE.

Oui, mon père.

HARPAGON.

Que ce serait un parti souhaitable?

CLÉANTE.

Très souhaitable.

HARPAGON.

Qu'elle a toute la mine de faire un bon ménage?[3]

CLÉANTE.

10 Sans doute.

HARPAGON.

Et qu'un mari aurait satisfaction[4] avec elle?

CLÉANTE.

Assurément.

HARPAGON.

Il y a une petite difficulté: c'est que j'ai peur qu'il n'y ait pas avec elle tout le bien qu'on pourrait prétendre.[1]

CLÉANTE.

Ah! mon père, le bien n'est pas considérable,[2] lorsqu'il est question d'épouser une honnête personne.

HARPAGON.

Pardonnez-moi,[3] pardonnez-moi. Mais ce qu'il y a à dire, c'est que, si l'on n'y[4] trouve pas tout le bien qu'on souhaite, on peut tâcher de regagner cela sur autre chose.[5] 5

CLÉANTE.

Cela s'entend.

HARPAGON.

Enfin, je suis bien aise de vous voir dans mes sentiments;[6] car son maintien honnête et sa douceur m'ont gagné l'âme, et je suis résolu de[7] l'épouser, pourvu que j'y trouve quelque bien. 10

CLÉANTE.

Euh?

HARPAGON.

Comment?

CLÉANTE.

Vous êtes résolu,[8] dites-vous...? 15

HARPAGON.

D'épouser Mariane.

CLÉANTE.

Qui, vous? vous?

HARPAGON.

Oui, moi, moi, moi. Que veut dire cela?

CLÉANTE.

Il m'a pris tout à coup un éblouissement, et je me retire d'ici.

HARPAGON.

5 Cela ne sera rien. Allez vite boire dans la cuisine un grand verre d'eau claire. Voilà de mes damoiseaux flouets[1] qui n'ont non plus de vigueur que des poules.[2] C'est là, ma fille, ce que j'ai résolu pour moi. Quant à ton frère, je lui destine une certaine veuve dont ce matin 10 on m'est venu parler; et pour toi,[3] je te donne au Seigneur[4] Anselme.

ÉLISE.

Au Seigneur Anselme?

HARPAGON.

Oui, un homme mûr, prudent et sage, qui n'a pas plus de cinquante ans, et dont on vante les grands biens.

ÉLISE. *Elle fait une révérence.*

15 Je ne veux point me marier, mon père, s'il vous plaît.

HARPAGON. *Il contrefait sa révérence.*

Et moi, ma petite fille, ma mie,[5] je veux que vous vous mariiez, s'il vous plaît.

ÉLISE.

Je vous demande pardon, mon père.

HARPAGON.

Je vous demande pardon, ma fille.

ÉLISE.

Je suis très humble servante au Seigneur[1] Anselme; mais, avec votre permission, je ne l'épouserai point.

HARPAGON.

Je suis votre très humble valet; mais, avec votre permission, vous l'épouserez dès ce soir. 5

ÉLISE.

Dès ce soir?

HARPAGON.

Dès ce soir.

ÉLISE.

Cela ne sera pas, mon père.

HARPAGON.

Cela sera, ma fille.

ÉLISE.

Non. 10

HARPAGON.

Si.

ÉLISE.

Non, vous dis-je.

HARPAGON.

Si, vous dis-je.

ÉLISE.

C'est une chose où vous ne me réduirez point.

HARPAGON.

C'est une chose où je te réduirai.

ÉLISE.

Je me tuerai plutôt que d'épouser un tel mari.

HARPAGON.

Tu ne te tueras point, et tu l'épouseras. Mais voyez quelle audace! A-t-on jamais vu une fille parler de la 5 sorte à son père?

ÉLISE.

Mais a-t-on jamais vu un père marier sa fille de la sorte?

HARPAGON.

C'est un parti où il n'y a rien à redire; et je gage que tout le monde approuvera mon choix.

ÉLISE.

10 Et moi, je gage qu'il ne saurait être approuvé d'aucune personne raisonnable.

HARPAGON.

Voilà Valère. Veux-tu qu'entre nous deux nous le fassions juge de cette affaire?

ÉLISE.

J'y consens.

HARPAGON.

15 Te rendras-tu à son jugement?

ÉLISE.

Oui; j'en passerai par ce qu'il dira.

HARPAGON.

Voilà qui est fait.[1]

SCÈNE V

VALÈRE, HARPAGON, ÉLISE

HARPAGON.

Ici, Valère. Nous t'avons élu[2] pour nous dire qui a raison, de ma fille ou de moi.[3]

VALÈRE.

C'est vous, Monsieur, sans contredit. 5

HARPAGON.

Sais-tu bien de quoi nous parlons?

VALÈRE.

Non; mais vous ne sauriez avoir tort, et vous êtes toute raison.[4]

HARPAGON.

Je veux ce soir lui donner pour époux un homme aussi riche que sage; et la coquine me dit au nez qu'elle se 10 moque de le prendre. Que dis-tu de cela?

VALÈRE.

Ce que j'en dis?

HARPAGON.

Oui.

VALÈRE.

Eh, eh.

HARPAGON.

Quoi?

VALÈRE.

Je dis que dans le fond je suis de votre sentiment; et
5 vous ne pouvez pas que vous n'ayez raison.[1] Mais
aussi[2] n'a-t-elle pas tort tout à fait, et...

HARPAGON.

Comment? le Seigneur Anselme est un parti considérable;[3] c'est un gentilhomme qui est noble,[4] doux, posé,
sage et fort accommodé, et auquel il ne reste aucun
10 enfant de son premier mariage. Saurait-elle mieux
rencontrer?[5]

VALÈRE.

Cela est vrai. Mais elle pourrait vous dire que c'est
un peu précipiter les choses, et qu'il faudrait au moins
quelque temps pour voir si son inclination pourra s'accommoder avec...

HARPAGON.

C'est une occasion qu'il faut prendre vite aux cheveux.[6]
Je trouve ici un avantage qu'ailleurs je ne trouverais pas,
et il s'engage à la prendre sans dot.[7]

VALÈRE.

Sans dot?

HARPAGON.

Oui.

VALÈRE.

Ah! je ne dis plus rien. Voyez-vous? voilà une raison tout à fait convaincante; il se faut rendre[1] à cela.

HARPAGON.

C'est pour moi une épargne considérable.

VALÈRE.

Assurément, cela ne reçoit[2] point de contradiction. 5
Il est vrai que votre fille[3] vous peut représenter que le mariage est une plus grande affaire qu'on ne peut croire; qu'il y va d'être heureux ou malheureux toute sa vie; et qu'un engagement qui doit durer jusqu'à la mort ne se doit jamais faire qu'avec de grandes précautions. 10

HARPAGON.

Sans dot.

VALÈRE.

Vous avez raison: voilà qui décide tout, cela s'entend. Il y a des gens qui pourraient vous dire qu'en de telles occasions l'inclination d'une fille est une chose sans doute où l'on doit avoir de l'égard; et que cette grande 15
inégalité d'âge, d'humeur et de sentiments, rend un mariage sujet à des accidents très fâcheux.

HARPAGON.

Sans dot.

VALÈRE.

Ah! il n'y a pas de réplique à cela: on le sait bien;

qui diantre peut aller là contre?[1] Ce n'est pas qu'il n'y ait[2] quantité de pères qui aimeraient mieux ménager la satisfaction[3] de leurs filles que l'argent qu'ils pourraient donner; qui ne les voudraient point sacrifier à l'intérêt,
5 et chercheraient plus que toute autre chose à mettre dans un mariage cette douce conformité qui sans cesse y maintient l'honneur, la tranquillité et la joie, et que . . .

HARPAGON.

Sans dot.

VALÈRE.

Il est vrai: cela ferme la bouche à tout, *sans dot.* Le
10 moyen de résister à une raison comme celle-là?

HARPAGON. *Il regarde vers le jardin.*

Ouais! il me semble que j'entends un chien qui aboie. N'est-ce point qu'on en voudrait à mon argent?[4] Ne bougez, je reviens tout à l'heure.

ÉLISE.

Vous moquez-vous, Valère, de lui parler comme vous
15 faites?

VALÈRE.

C'est pour ne point l'aigrir, et pour en venir mieux à bout.[5] Heurter de front ses sentiments est le moyen de
20 tout gâter; et il y a de certains esprits[6] qu'il ne faut prendre qu'en biaisant,[7] des tempéraments ennemis de toute résistance, des naturels rétifs, que la vérité fait cabrer, qui toujours se raidissent contre le droit chemin de la raison, et qu'on ne mène qu'en tournant[8] où l'on

veut les conduire. Faites semblant de consentir à ce qu'il veut, vous en[1] viendrez mieux à vos fins, et . . .

ÉLISE.

Mais ce mariage, Valère?

VALÈRE.

On cherchera des biais pour le rompre.[2]

ÉLISE.

Mais quelle invention trouver, s'il se doit conclure ce soir? 5

VALÈRE.

Il faut demander un délai, et feindre quelque maladie.[3]

ÉLISE.

Mais on découvrira la feinte, si l'on appelle des médecins.

VALÈRE.

Vous moquez-vous? Y connaissent-ils quelque chose?[4] 10 Allez, allez, vous pourrez avec eux avoir quel mal il vous plaira,[5] ils vous trouveront des raisons pour vous dire d'où cela vient.

HARPAGON.

Ce n'est rien, Dieu merci.

VALÈRE.

Enfin notre dernier recours, c'est que la fuite nous peut 15 mettre à couvert de tout; et si votre amour, belle Élise, est capable d'une fermeté . . . (*Il aperçoit Harpagon.*)

Oui, il faut qu'une fille obéisse à son père. Il ne faut point qu'elle regarde comme un mari est fait;[1] et lorsque la grande raison de *sans dot* s'y rencontre, elle doit être prête à prendre tout ce qu'[2]on lui donne.

HARPAGON.

5 Bon. Voilà bien parlé, cela.

VALÈRE.

Monsieur, je vous demande pardon si je m'emporte un peu, et prends la hardiesse de lui parler comme je fais.

HARPAGON.

Comment? j'en suis ravi, et je veux que tu prennes sur elle un pouvoir absolu. Oui, tu as beau fuir.[3] Je 10 lui donne l'autorité que le Ciel me donne sur toi, et j'entends que tu fasses tout ce qu'il te dira.

VALÈRE.

Après cela, résistez à mes remontrances. Monsieur, je vais la suivre, pour lui continuer les leçons que je lui faisais.

HARPAGON.

15 Oui, tu m'obligeras. Certes . . .

VALÈRE.

Il est bon de lui tenir un peu la bride haute.

HARPAGON.

Cela est vrai. Il faut . . .

VALÈRE.

Ne vous mettez pas en peine. Je crois que j'en viendrai à bout.

HARPAGON.

Fais, fais. Je m'en vais faire un petit tour en ville, et reviens tout à l'heure.[1]

VALÈRE.

Oui, l'argent est plus précieux que toutes les choses du monde, et vous devez rendre grâces au Ciel de l'honnête homme de père[2] qu'il vous a donné. Il sait ce que c'est que de vivre. Lorsqu'on s'offre de prendre[3] une fille sans dot, on ne doit point regarder plus avant. Tout est renfermé là dedans, et *sans dot* tient lieu de beauté, de jeunesse, de naissance, d'honneur, de sagesse et de probité.

HARPAGON.

Ah! le brave garçon! Voilà parlé comme un oracle. Heureux qui peut avoir un domestique de la sorte!

ACTE II

SCÈNE PREMIÈRE

CLÉANTE, LA FLÈCHE

CLÉANTE.

Ah! traître que tu es, où t'es-tu donc allé fourrer?[1] Ne t'avais-je pas donné ordre . . .

LA FLÈCHE.

Oui, Monsieur, et je m'étais rendu ici pour vous attendre de pied ferme; mais Monsieur votre père, le plus
5 malgracieux des hommes, m'a chassé dehors malgré moi,[2] et j'ai couru risque d'être battu.

CLÉANTE.

Comment va notre affaire? Les choses pressent plus que jamais; et depuis que je ne t'ai vu, j'ai découvert que mon père est mon rival.

LA FLÈCHE.

10 Votre père amoureux?

CLÉANTE.

Oui; et j'ai eu toutes les peines du monde à lui cacher le trouble où cette nouvelle m'a mis.

LA FLÈCHE.

Lui se mêler d'aimer! De quoi diable s'avise-t-il? Se moque-t-il du monde? Et l'amour a-t-il été fait pour des gens bâtis comme lui?[1]

CLÉANTE.

Il a fallu, pour mes péchés, que cette passion lui soit venue en tête. 5

LA FLÈCHE.

Mais par quelle raison lui faire un mystère de votre amour?

CLÉANTE.

Pour lui donner moins de soupçon, et me conserver au besoin des ouvertures plus aisées pour détourner ce mariage. Quelle réponse t'a-t-on faite? 10

LA FLÈCHE

Ma foi! Monsieur, ceux qui empruntent sont bien malheureux; et il faut essuyer d'étranges choses, lorsqu'on en est réduit à passer, comme vous, par les mains des fesse-mathieux.[2]

CLÉANTE.

L'affaire ne se fera point?[3] 15

LA FLÈCHE.

Pardonnez-moi.[4] Notre maître Simon, le courtier qu'on nous a donné,[5] homme agissant et plein de zèle, dit qu'il a fait rage pour vous; et il assure que votre seule physionomie lui a gagné le cœur.

CLÉANTE.

J'aurai les quinze mille francs que je demande?

LA FLÈCHE.

Oui; mais à quelques petites conditions, qu'il faudra que vous acceptiez, si vous avez dessein que les choses se fassent.

CLÉANTE.

5 T'a-t-il fait parler à celui qui doit prêter l'argent?

LA FLÈCHE.

Ah! vraiment, cela ne va pas de la sorte. Il apporte encore plus de soin à se cacher que vous, et ce sont des mystères bien plus grands que vous ne pensez. On[1] ne veut point du tout dire son nom, et l'on doit aujourd'hui 10 l'aboucher avec vous, dans une maison empruntée, pour être instruit,[2] par votre bouche, de votre bien et de votre famille; et je ne doute point que le seul nom de votre père ne rende les choses faciles.

CLÉANTE.

Et principalement notre mère étant morte, dont on ne 15 peut m'ôter le bien.

LA FLÈCHE.

Voici quelques articles qu'il a dictés lui-même à notre entremetteur, pour vous être montrés, avant que de rien faire:

Supposé que le prêteur voie toutes ses sûretés, et que 20 *l'emprunteur soit majeur, et d'une famille où le bien soit ample, solide, assuré, clair et net de tout embarras, on fera une bonne et exacte obligation par-devant*[1] *un notaire, le plus honnête homme qu'il se pourra,*[2] *et qui, pour cet effet, sera choisi par le prêteur, auquel il importe le plus que l'acte soit dûment dressé.*

CLÉANTE.

Il n'y a rien à dire à cela. 5

LA FLÈCHE.

Le prêteur, pour ne charger sa conscience d'aucun scrupule, prétend ne donner son argent qu'au[3] *denier dix-huit.*[4]

CLÉANTE.

Au denier dix-huit? Parbleu! voilà qui est honnête. Il n'y a pas lieu de se plaindre. 10

LA FLÈCHE.

Cela est vrai.

Mais comme ledit prêteur n'a pas chez lui la somme dont il est question, et que, pour faire plaisir à l'emprunteur, il est contraint lui-même de l'emprunter d'un autre,[5] *sur le pied*[6] *du denier cinq, il conviendra que ledit premier* 15 *emprunteur paye cet intérêt, sans préjudice du reste,*[7] *attendu que ce n'est que pour l'obliger que ledit prêteur s'engage à cet emprunt.*

CLÉANTE.

Comment diable! quel Juif, quel Arabe[8] est-ce là? C'est plus qu'au denier quatre. 20

LA FLÈCHE.

Il est vrai; c'est ce que j'ai dit. Vous avez à voir là-dessus.[9]

CLÉANTE.

Que veux-tu que je voie? J'ai besoin d'argent, et il faut bien que je consente à tout.

LA FLÈCHE.

C'est la réponse que j'ai faite.

CLÉANTE.

Il y a encore quelque chose?

LA FLÈCHE.

5 Ce n'est plus qu'un petit article.

Des quinze mille francs[1] *qu'on demande, le prêteur ne pourra compter en argent que douze mille livres, et pour les mille écus restants, il faudra que l'emprunteur prenne les hardes,*[2] *nippes et bijoux dont s'ensuit le mémoire, et* 10 *que ledit prêteur a mis, de bonne foi, au plus modique prix qu'il lui a été possible.*

CLÉANTE.

Que veut dire cela?

LA FLÈCHE.

Écoutez le mémoire:

Premièrement, un lit de quatre pieds,[3] *à bandes de* 15 *points de Hongrie,*[4] *appliquées fort proprement*[5] *sur un drap de couleur d'olive, avec six chaises et la courte-pointe de même*[6]*; le tout bien conditionné, et doublé d'un petit*[7] *taffetas changeant*[8] *rouge et bleu.*

Plus, un pavillon à queue,[9] *d'une bonne serge d'Aumale* 20 *rose-sèche,*[10] *avec le mollet et les franges de soie.*

CLÉANTE.

Que veut-il que je fasse de cela?

LA FLÈCHE.

Attendez.

Plus, une tenture de tapisserie des amours de Gombaut et de Macée.[1]

Plus, une grande table de bois de noyer, à douze colonnes ou piliers tournés, qui se tire[2] *par les deux bouts, et garnie par le dessous*[3] *de ses six escabelles.*[4] 5

CLÉANTE.

Qu'ai-je affaire,[5] morbleu . . .?

LA FLÈCHE.

Donnez-vous patience.

Plus, trois gros mousquets tout garnis[6] *de nacre de perles, avec les trois fourchettes*[7] *assortissantes.* 10

Plus, un fourneau de brique, avec deux cornues et trois récipients, fort utiles à ceux qui sont curieux[8] *de distiller.*

CLÉANTE.

J'enrage.

LA FLÈCHE.

Doucement. 15

Plus, un luth de Bologne,[9] *garni de toutes ses cordes, ou peu s'en faut.*

Plus, un trou-madame,[10] *et un damier, avec un jeu de l'oie*[11] *renouvelé des Grecs,*[12] *fort propres à passer le temps lorsque l'on n'a que faire.*[13] 20

Plus, une peau d'un lézard,[1] *de trois pieds et demi, remplie de foin, curiosité agréable pour pendre au plancher*[2] *d'une chambre.*

Le tout, ci-dessus mentionné, valant loyalement plus de 5 *quatre mille cinq cents livres, et rabaissé à la valeur de mille écus, par la discrétion*[3] *du prêteur.*

CLÉANTE.

Que la peste l'étouffe avec sa discrétion, le traître,[4] le bourreau qu'il est! A-t-on jamais parlé d'une usure semblable? Et n'est-il pas content du furieux intérêt qu'il 10 exige, sans vouloir encore m'obliger à prendre, pour trois mille livres, les vieux rogatons qu'il ramasse? Je n'aurai pas deux cents écus de tout cela; et cependant il faut bien me résoudre à consentir à ce qu'il veut; car il est en état de me faire tout accepter, et il me tient, le 15 scélérat, le poignard sur la gorge.

LA FLÈCHE.

Je vous vois, Monsieur, ne vous en déplaise, dans le grand chemin justement que tenait Panurge[5] pour se ruiner, prenant argent d'avance, achetant cher, vendant à bon marché, et mangeant son blé en herbe.

CLÉANTE.

20 Que veux-tu que j'y fasse? Voilà où les jeunes gens sont réduits par la maudite avarice des pères; et on s'étonne après cela que les fils souhaitent qu'ils meurent.

LA FLÈCHE.

Il faut avouer que le vôtre animerait contre sa vilenie le plus posé homme[6] du monde. Je n'ai pas, Dieu merci, les inclinations fort patibulaires,[1] et parmi mes confrères que je vois se mêler de beaucoup de petits commerces,[2] je sais tirer adroitement mon épingle du jeu,[3] et me démêler prudemment de toutes les galanteries[4] qui sentent tant soit peu l'échelle;[5] mais, à vous dire vrai, il me 5 donnerait, par ses procédés, des tentations de le voler; et je croirais, en le volant, faire une action méritoire.[6]

CLÉANTE.

Donne-moi un peu ce mémoire, que[7] je le voie encore.

SCÈNE II

MAÎTRE SIMON, HARPAGON, CLÉANTE, LA FLÈCHE

MAÎTRE SIMON.

Oui, Monsieur, c'est un jeune homme qui a besoin d'argent. Ses affaires le pressent d'en trouver, et il en 10 passera par tout ce que vous en[8] prescrirez.

HARPAGON.

Mais croyez-vous, maître Simon, qu'il n'y ait rien à péricliter?[9] et savez-vous le nom, les biens et la famille de celui pour qui vous parlez?

MAÎTRE SIMON.

Non, je ne puis pas bien vous en instruire à fond,[10] et 15 ce n'est que par aventure que l'on m'a adressé à lui; mais vous serez de toutes choses éclairci par lui-même; et son homme m'a assuré que vous serez content, quand vous le connaîtrez. Tout ce que je saurais vous dire, c'est que sa famille est fort riche, qu'il n'a plus de mère déjà, et qu'il s'obligera, si vous voulez, que son père mourra[1] avant qu'il soit huit mois.

HARPAGON.

C'est quelque chose que cela. La charité, maître
5 Simon, nous oblige à faire plaisir aux personnes, lorsque nous le pouvons.

MAÎTRE SIMON.

Cela s'entend.

LA FLÈCHE.

Que veut dire ceci? Notre maître Simon qui parle à votre père.

CLÉANTE.

10 Lui aurait-on appris qui je suis? et serais-tu pour[2] nous trahir?

MAÎTRE SIMON.

Ah! ah! vous êtes bien pressés! Qui vous a dit que c'était céans? Ce n'est pas moi, Monsieur, au moins. qui leur ai découvert votre nom et votre logis; mais, à
15 mon avis, il n'y a pas grand mal à cela. Ce sont des personnes discrètes, et vous pouvez ici vous expliquer ensemble.

HARPAGON.

Comment?

MAÎTRE SIMON.

Monsieur est la personne qui veut vous emprunter les
20 quinze mille livres dont je vous ai parlé.

HARPAGON.

Comment, pendard?[1] c'est toi qui t'abandonnes à ces coupables extrémités?

CLÉANTE.

Comment, mon père? c'est vous qui vous portez à ces honteuses actions?

HARPAGON.

C'est toi[2] qui te veux ruiner par des emprunts si condamnables? 5

CLÉANTE.

C'est vous qui cherchez à vous enrichir par des usures si criminelles?

HARPAGON.

Oses-tu bien, après cela, paraître devant moi?

CLÉANTE.

Osez-vous bien, après cela, vous présenter aux yeux du monde? 10

HARPAGON.

N'as-tu point de honte, dis-moi, d'en venir à ces débauches-là? de te précipiter dans des dépenses effroyables? et de faire une honteuse dissipation du bien que tes parents t'ont amassé avec tant de sueurs?[3] 15

CLÉANTE.

Ne rougissez-vous point de déshonorer votre condition par les commerces que vous faites? de sacrifier gloire[4] et réputation au désir insatiable d'entasser écu sur écu, et de renchérir, en fait d'intérêts, sur les plus infâmes subtilités qu'aient jamais inventées les plus célèbres usuriers? 20

HARPAGON.

Ote-toi de mes yeux, coquin! ôte-toi de mes yeux.

CLÉANTE.

Qui est plus criminel, à votre avis, ou celui qui achète un argent dont il a besoin, ou bien celui qui vole un argent dont il n'a que faire?

HARPAGON.

5 Retire-toi, te dis-je, et ne m'échauffe pas les oreilles.[1] Je ne suis pas fâché de cette aventure; et ce m'est un avis de tenir l'œil, plus que jamais, sur toutes ses actions.

SCÈNE III

FROSINE, HARPAGON

FROSINE.

Monsieur . . .

HARPAGON.

Attendez un moment; je vais revenir vous parler. Il
10 est à propos que je fasse un petit tour à mon argent.[2]

SCÈNE IV

LA FLÈCHE, FROSINE

LA FLÈCHE.

L'aventure est tout à fait drôle. Il faut bien qu'il ait quelque part un ample magasin de hardes;[3] car nous n'avons rien reconnu au mémoire que nous avons.

FROSINE.

Hé! c'est toi, mon pauvre la Flèche! D'où vient cette rencontre?

LA FLÈCHE.

Ah! ah! c'est toi, Frosine. Que viens-tu faire ici?

FROSINE.

Ce que je fais partout ailleurs: m'entremettre d'affaires,[1] me rendre serviable aux gens, et profiter du mieux qu'il m'est possible des petits talents que je puis avoir. Tu sais que dans ce monde il faut vivre d'adresse, et qu'aux personnes comme moi le Ciel n'a donné d'autres rentes que l'intrigue et que l'industrie.[2]

LA FLÈCHE.

As-tu quelque négoce[3] avec le patron du logis?

FROSINE.

Oui, je traite pour lui quelque petite affaire, dont j'espère une récompense.

LA FLÈCHE.

De lui? Ah, ma foi! tu seras bien fine si tu en tires quelque chose; et je te donne avis que l'argent céans est fort cher.

FROSINE.

Il y a de certains services qui touchent merveilleusement.

LA FLÈCHE.

Je suis votre valet, et tu ne connais pas encore le Seigneur Harpagon. Le Seigneur Harpagon est de tous

les humains l'humain le moins humain, le mortel de tous les mortels le plus dur et le plus serré. Il n'est point de service qui pousse sa reconnaissance jusqu'à lui faire ouvrir les mains. De la louange, de l'estime, de la bien-
5 veillance en paroles, et de l'amitié tant qu'il vous plaira; mais de l'argent, point d'affaires.[1] Il n'est rien de plus sec et de plus aride[2] que ses bonnes grâces et ses caresses; et *donner* est un mot pour qui[3] il a tant d'aversion, qu'il ne dit jamais: *Je vous donne*, mais: *Je vous*
10 *prête le bonjour.*

FROSINE.

Mon Dieu! je sais l'art de traire[4] les hommes; j'ai le secret de m'ouvrir leur tendresse,[5] de chatouiller leurs cœurs, de trouver les endroits par où ils sont sensibles.

LA FLÈCHE.

Bagatelles[6] ici. Je te défie d'attendrir, du côté de
15 l'argent, l'homme dont il est question. Il est Turc[7] là-dessus, mais d'une turquerie[7] à désespérer tout le monde; et l'on pourrait crever, qu'il n'en branlerait pas.[8] En un mot, il aime l'argent plus que réputation, qu'honneur et que vertu; et la vue d'un demandeur[9] lui donne
20 des convulsions. C'est le frapper par son endroit mortel, c'est lui percer le cœur, c'est lui arracher les entrailles; et si . . . Mais il revient; je me retire.

SCÈNE V

HARPAGON, FROSINE

HARPAGON.

Tout va[10] comme il faut. Hé bien! qu'est-ce, Frosine?

FROSINE.

Ah, mon Dieu! que vous vous portez bien! et que vous avez là un vrai visage de santé!

HARPAGON.

Qui, moi?

FROSINE.

Jamais je ne vous vis un teint si frais et si gaillard.

HARPAGON.

Tout de bon? 5

FROSINE.

Comment? vous n'avez de votre vie été si jeune que vous êtes; et je vois des gens de vingt-cinq ans qui sont plus vieux que vous.

HARPAGON.

Cependant, Frosine, j'en ai soixante bien comptés

FROSINE.

Hé bien! qu'est-ce que cela, soixante ans? Voilà bien 10 de quoi![1] C'est la fleur de l'âge cela, et vous entrez maintenant dans la belle saison de l'homme.

HARPAGON.

Il est vrai; mais vingt années de moins pourtant ne me feraient point de mal, que je crois.[2]

FROSINE.

Vous moquez-vous? Vous n'avez pas besoin de cela, 15 et vous êtes d'une pâte à vivre jusques[3] à cent ans.

HARPAGON.

Tu le crois?

FROSINE.

Assurément. Vous en avez toutes les marques. Tenez-vous un peu.[1] Oh! que voilà bien là,[2] entre vos deux yeux, un signe de longue vie!

HARPAGON.

5 Tu te connais à cela?

FROSINE.

Sans doute. Montrez-moi votre main. Ah, mon Dieu! quelle ligne de vie!

HARPAGON.

Comment?

FROSINE.

Ne voyez-vous pas jusqu'où va cette ligne-là?

HARPAGON.

10 Hé bien! qu'est-ce que cela veut dire?

FROSINE.

Par ma foi! je disais cent ans; mais vous passerez les six-vingts.[3]

HARPAGON.

Est-il possible?

FROSINE.

Il faudra vous assommer, vous dis-je; et vous mettrez
15 en terre et vos enfants, et les enfants de vos enfants.

HARPAGON.

Tant mieux. Comment va notre affaire?

FROSINE.

Faut-il le demander? et me voit-on mêler[1] de rien dont je ne vienne à bout? J'ai surtout pour les mariages un talent merveilleux; il n'est point de partis au monde que je ne trouve en peu de temps le moyen d'accoupler; et 5 je crois, si je me l'étais mis en tête, que je marierais le Grand Turc avec la République de Venise.[2] Il n'y avait pas sans doute de si grandes difficultés à cette affaire-ci. Comme j'ai commerce chez elles,[3] je les ai à fond l'une et l'autre entretenues de vous, et j'ai dit à la mère le 10 dessein que vous aviez conçu pour Mariane, à la voir[4] passer dans la rue, et prendre l'air à sa fenêtre.

HARPAGON.

Qui a fait réponse . . .

FROSINE.

Elle a reçu la proposition avec joie; et quand je lui ai témoigné que vous souhaitiez fort que sa fille assistât ce 15 soir au contrat de mariage qui se doit faire de la vôtre, elle y a consenti sans peine, et me l'a confiée pour cela.

HARPAGON.

C'est que je suis obligé, Frosine, de donner à souper au Seigneur Anselme; et je serai bien aise qu'elle soit du régale.[5] 20

FROSINE.

Vous avez raison. Elle doit après dîné[6] rendre visite à votre fille, d'où elle fait son compte[7] d'aller faire un tour à la foire,[8] pour venir ensuite au soupé.

HARPAGON.

Hé bien! elles iront ensemble dans mon carrosse, que je leur prêterai.

FROSINE.

Voilà justement son affaire.[1]

HARPAGON.

Mais, Frosine, as-tu entretenu la mère touchant le
5 bien qu'elle peut donner à sa fille? Lui as-tu dit qu'il fallait qu'elle s'aidât un peu, qu'elle fît quelque effort, qu'elle se saignât pour une occasion comme celle-ci? Car encore[2] n'épouse-t-on point une fille, sans qu'elle apporte quelque chose.

FROSINE.

10 Comment? c'est une fille qui vous apportera douze mille livres de rente.

HARPAGON.

Douze mille livres de rente!

FROSINE.

Oui. Premièrement, elle est nourrie[3] et élevée dans une grande épargne de bouche;[4] c'est une fille accou-
15 tumée à vivre de salade, de lait, de fromage et de pommes, et à laquelle par conséquent il ne faudra ni table bien servie, ni consommés exquis, ni orges mondés[5] perpétuels, ni les autres délicatesses qu'il faudrait pour une autre femme; et cela ne va pas à si peu de chose, qu'il ne
20 monte bien,[6] tous les ans, à trois mille francs pour le moins. Outre cela,[7] elle n'est curieuse[8] que d'une

propreté[1] fort simple, et n'aime point les superbes habits, ni les riches bijoux, ni les meubles somptueux, où donnent[2] ses pareilles avec tant de chaleur; et cet article-là vaut plus de quatre mille livres par an. De plus, elle a une aversion horrible pour le jeu, ce qui 5 n'est pas commun aux femmes d'aujourd'hui;[3] et j'en sais une de nos quartiers qui a perdu, à trente-et-quarante,[4] vingt mille francs cette année. Mais n'en prenons rien que le quart. Cinq mille francs au jeu par an, et quatre mille francs en habits et bijoux, cela fait 10 neuf mille livres; et mille écus que nous mettons pour la nourriture, ne voilà-t-il pas par année vos douze mille francs bien comptés?

HARPAGON.

Oui, cela n'est pas mal: mais ce compte-là n'est rien de réel. 15

FROSINE.

Pardonnez-moi. N'est-cc pas quelque chose de réel, que de vous apporter en mariage une grande sobriété, l'héritage d'un grand amour de simplicité de parure, et l'acquisition d'un grand fonds de haine pour le jeu?

HARPAGON.

C'est une raillerie que de vouloir me constituer son 20 dot[5] de toutes les dépenses qu'elle ne fera point. Je n'irai pas donner quittance de ce que je ne reçois pas; et il faut bien que je touche[6] quelque chose.

FROSINE.

Mon Dieu! vous toucherez assez; et elles m'ont parlé d'un certain pays où elles ont du bien dont vous serez le 25 maître.

HARPAGON.

Il faudra voir cela. Mais, Frosine, il y a encore une chose qui m'inquiète. La fille est jeune, comme tu vois; et les jeunes gens, d'ordinaire, n'aiment que leurs semblables, ne cherchent que leur compagnie. J'ai peur qu'un homme de mon âge ne soit pas de son goût, et que cela ne vienne à produire chez moi certains petits désordres qui ne m'accommoderaient pas.

FROSINE.

Ah! que vous la connaissez mal! C'est encore une particularité que j'avais à vous dire. Elle a une aversion épouvantable pour tous les jeunes gens, et n'a de l'amour que pour les vieillards.

HARPAGON.

Elle?

FROSINE.

Oui, elle. Je voudrais que vous l'eussiez entendu[1] parler là-dessus. Elle ne peut souffrir du tout la vue d'un jeune homme; mais elle n'est point plus ravie, dit-elle, que lorsqu'elle peut voir un beau vieillard avec une barbe majestueuse. Les plus vieux sont pour elle les plus charmants, et je vous avertis de n'aller pas[2] vous faire plus jeune que vous êtes. Elle veut tout au moins qu'on soit sexagénaire; et il n'y a pas quatre mois encore, qu'étant prête d'être[3] mariée, elle rompit tout net le mariage, sur ce que[4] son amant fit voir qu'il n'avait que cinquante-six ans, et qu'il ne prit point de lunettes pour signer le contrat.

HARPAGON.

Sur cela seulement?

FROSINE.

Oui. Elle dit que ce n'est pas contentement pour elle que cinquante-six ans; et surtout, elle est pour les nez qui portent des lunettes.

HARPAGON.

Certes, tu me dis là une chose toute nouvelle.

FROSINE.

Cela va plus loin qu'on ne vous peut dire. On lui voit dans sa chambre quelques tableaux et quelques estampes; mais que pensez-vous que ce soit? Des Adonis? des Céphales?[1] des Pâris? et des Apollons? Non: de beaux portraits de Saturne, du roi Priam, du vieux Nestor, et du bon père Anchise sur les épaules de son fils.

HARPAGON.

Cela est admirable![2] Voilà ce que je n'aurais jamais pensé; et je suis bien aise d'apprendre qu'elle est de cette humeur. En effet, si j'avais été femme, je n'aurais point aimé les jeunes hommes.

FROSINE.

Je le crois bien. Voilà de belles drogues[3] que des jeunes gens, pour les aimer! Ce sont de beaux morveux[4] de beaux godelureaux, pour donner envie de leur peau,[5] et je voudrais bien savoir quel ragoût il a à eux!

HARPAGON.

Pour moi, je n'y en comprends point;[6] et je ne sais pas comment il y a des femmes qui les aiment tant.

FROSINE.

Il faut être folle fieffée.[1] Trouver la jeunesse aimable! est-ce avoir le sens commun? Sont-ce des hommes que de jeunes blondins?[2] et peut-on s'attacher à ces animaux-là?

HARPAGON.

5 C'est ce que je dis tous les jours: avec leur ton de poule laitée,[3] et leurs trois petits brins de barbe relevés en barbe de chat,[4] leurs perruques d'étoupes, leurs hauts-de-chausses tout tombants,[5] et leurs estomacs débraillés.

FROSINE.

10 Eh! cela[6] est bien bâti, auprès d'une personne comme vous. Voilà un homme, cela. Il y a là de quoi satisfaire à la vue; et c'est ainsi qu'il faut être fait, et vêtu, pour donner de l'amour.

HARPAGON.

Tu me trouves bien?

FROSINE.

15 Comment?[7] vous êtes à ravir, et votre figure est à peindre. Tournez-vous un peu, s'il vous plaît. Il ne se peut pas mieux.[8] Que je vous voie marcher. Voilà un corps taillé,[9] libre, et dégagé comme il faut, et qui ne marque aucune incommodité.

HARPAGON.

20 Je n'en ai pas de grandes, Dieu merci. Il n'y a que ma fluxion,[10] qui me prend de temps en temps.

FROSINE.

Cela n'est rien. Votre fluxion ne vous sied point mal, et vous avez grâce à tousser.

HARPAGON.

Dis-moi un peu: Mariane ne m'a-t-elle point encore vu? N'a-t-elle point pris garde à moi en passant?

FROSINE.

Non;[1] mais nous nous sommes fort entretenues de vous. Je lui ai fait un portrait de votre personne; et je n'ai pas manqué de lui vanter votre mérite, et l'avantage que ce lui serait d'avoir un mari comme vous. 5

HARPAGON.

Tu as bien fait, et je t'en remercie.

FROSINE.

J'aurais, Monsieur, une petite prière à vous faire. (*Il prend un air sévère.*) J'ai un procès que je suis sur le point de perdre, faute d'un peu d'argent; et vous pourriez facilement me procurer le gain de ce procès, si vous aviez quelque bonté pour moi. (*Il reprend un air gai.*) Vous ne sauriez croire le plaisir qu'elle aura de vous voir. Ah! que vous lui plairez! et que votre fraise à l'antique[2] fera sur son esprit un effet admirable! Mais surtout elle sera charmée de votre haut-de-chausses, attaché au pourpoint avec des aiguillettes:[3] c'est pour la rendre folle de vous; et un amant aiguilleté sera pour elle un ragoût merveilleux. 10 15 20

HARPAGON.

Certes, tu me ravis de me dire cela.

FROSINE.

(*Il reprend son visage sévère.*) En vérité, Monsieur, ce procès m'est d'une conséquence tout à fait grande. Je suis ruinée, si je le perds; et quelque petite assistance me rétablirait mes affaires. (*Il reprend un air gai.*) Je 5 voudrais que vous eussiez vu le ravissement où elle était à m'entendre parler de vous. La joie éclatait dans ses yeux, au récit de vos qualités; et je l'ai mise enfin dans une impatience extrême de voir ce mariage entièrement conclu.

HARPAGON.

10 Tu m'as fait grand plaisir, Frosine; et je t'en ai, je te l'avoue, toutes les obligations du monde.

FROSINE.

(*Il reprend son sérieux.*) Je vous prie, Monsieur, de me donner le petit secours que je vous demande. Cela me remettra sur pied, et je vous en serai éternellement 15 obligée.

HARPAGON.

Adieu. Je vais achever mes dépêches.[1]

FROSINE.

Je vous assure, Monsieur, que vous ne sauriez jamais me soulager dans un plus grand besoin.

HARPAGON.

Je mettrai ordre que mon carrosse soit tout prêt pour 20 vous mener à la foire.

FROSINE.

Je ne vous importunerais pas, si je ne m'y voyais forcée par la nécessité.

HARPAGON.

Et j'aurai soin qu'on soupe de bonne heure, pour ne vous point faire malades.

FROSINE.

Ne me refusez point la grâce dont je vous sollicite.[1] Vous ne sauriez croire, Monsieur, le plaisir que . . .

HARPAGON.

Je m'en vais. Voilà qu'on m'appelle. Jusqu'à tantôt. 5

FROSINE.

Que la fièvre te serre, chien de vilain à tous les diables![2] Le ladre a été ferme à toutes mes attaques; mais il ne me faut pas pourtant quitter la négociation; et j'ai l'autre côté,[3] en tout cas, d'où je suis assurée de tirer bonne récompense. 10

ACTE III

SCÈNE PREMIÈRE

HARPAGON, CLÉANTE, ÉLISE, VALÈRE, DAME CLAUDE, MAÎTRE JACQUES, BRINDAVOINE, LA MERLUCHE

HARPAGON.

Allons, venez çà tous, que je vous distribue mes ordres pour tantôt et règle à chacun son emploi. Approchez, dame Claude. Commençons par vous. (*Elle tient un balai.*) Bon, vous voilà les armes à la main. Je vous
5 commets au soin[1] de nettoyer partout; et surtout prenez garde de ne point frotter les meubles trop fort, de peur de les user. Outre cela, je vous constitue, pendant le soupé, au gouvernement des bouteilles;[2] et, s'il s'en écarte quelqu'une, et qu'il se casse quelque chose, je
10 m'en prendrai à vous, et le rabattrai sur vos gages.

MAÎTRE JACQUES.

Châtiment politique.

HARPAGON.

Allez. Vous, Brindavoine, et vous, la Merluche, je vous établis dans la charge de rincer les verres, et de donner à boire, mais seulement lorsque l'on aura soif, et non pas selon la coutume de certains impertinents de laquais, qui viennent provoquer les gens, et les faire aviser[1] de boire lorsqu'on n'y songe pas. Attendez qu'on vous en demande plus d'une fois, et vous ressouvenez[2] de porter toujours beaucoup d'eau. 5

MAÎTRE JACQUES.

Oui, le vin pur monte à la tête.

LA MERLUCHE.

Quitterons-nous nos siquenilles,[3] Monsieur?

HARPAGON.

Oui, quand vous verrez venir les personnes; et gardez[4] bien de gâter vos habits.

BRINDAVOINE.

Vous savez bien, Monsieur, qu'un des devants de mon 10 pourpoint est couvert d'une grande tache de l'huile de la lampe.

LA MERLUCHE.

Et moi, Monsieur, que j'ai mon haut-de-chausses tout troué par derrière, et qu'on me voit, révérence parler...[5] 15

HARPAGON.

Paix. Rangez cela adroitement du côté de la muraille, et présentez toujours le devant au monde. (*Harpagon met son chapeau au-devant de*[6] *son pourpoint pour montrer à Brindavoine comment il doit faire pour cacher la tache d'huile.*) Et vous, tenez toujours votre chapeau 20 ainsi, lorsque vous servirez. Pour vous, ma fille, vous aurez l'œil sur ce que l'on desservira, et prendrez garde qu'il ne s'en fasse aucun dégât. Cela sied bien aux filles. Mais cependant préparez-vous à bien recevoir ma maîtresse,[1] qui vous doit venir visiter et vous mener 5 avec elle à la foire. Entendez-vous ce que je vous dis?

ÉLISE.

Oui, mon père.

HARPAGON.

Et vous, mon fils le Damoiseau, à qui j'ai la bonté de pardonner l'histoire[2] de tantôt, ne vous allez pas aviser non plus de lui faire mauvais visage.

CLÉANTE.

10 Moi, mon père, mauvais visage? Et par quelle raison?

HARPAGON.

Mon Dieu! nous savons le train des enfants[3] dont les pères se remarient, et de quel œil ils ont coutume de regarder ce qu'on appelle belle-mère. Mais si vous souhaitez que je perde le souvenir de votre dernière fre-15 daine, je vous recommande surtout de régaler[4] d'un bon visage cette personne-là, et de lui faire enfin tout[5] le meilleur accueil qu'il vous sera possible.

CLÉANTE.

A vous dire le vrai, mon père, je ne puis pas vous promettre d'être bien aise qu'elle devienne ma belle-20 mère: je mentirais si je vous le disais; mais pour ce qui est de[6] la bien recevoir, et de lui faire bon visage, je vous promets de vous obéir ponctuellement sur ce chapitre.

HARPAGON.

Prenez-y garde au moins.

CLÉANTE.

Vous verrez que vous n'aurez pas sujet de vous en plaindre.

HARPAGON.

Vous ferez sagement. Valère, aide-moi à ceci. Ho çà,[1] maître Jacques, approchez-vous, je vous ai gardé 5 pour le dernier.

MAÎTRE JACQUES.

Est-ce à votre cocher, Monsieur, ou bien à votre cuisinier, que vous voulez parler? car je suis l'un et l'autre.

HARPAGON.

C'est à tous les deux. 10

MAÎTRE JACQUES.

Mais à qui des deux le premier?

HARPAGON.

Au cuisinier.

MAÎTRE JACQUES.

Attendez donc, s'il vous plaît. (*Il ôte sa casaque de cocher, et paraît vêtu en cuisinier.*)

HARPAGON.

Quelle diantre de cérémonie est-ce là? 15

MAÎTRE JACQUES.

Vous n'avez qu'à parler.

HARPAGON.

Je me suis engagé, maître Jacques, à donner ce soir à souper.

MAÎTRE JACQUES.

Grande merveille!

HARPAGON.

5 Dis-moi un peu, nous feras-tu bonne chère?[1]

MAÎTRE JACQUES.

Oui, si vous me donnez bien de l'argent.

HARPAGON.

Que diable, toujours de l'argent! Il semble qu'ils n'aient autre chose à dire: "De l'argent, de l'argent, de l'argent." Ah! ils n'ont que ce mot à la bouche: "De 10 l'argent." Toujours parler d'argent. Voilà leur épée de chevet,[2] de l'argent.

VALÈRE.

Je n'ai jamais vu[3] de réponse plus impertinente que celle-là. Voilà une belle merveille que de faire bonne chère avec bien de l'argent: c'est une chose la plus aisée 15 du monde, et il n'y a si pauvre esprit qui n'en fît bien autant; mais pour agir en habile homme, il faut parler de faire bonne chère avec peu d'argent.

MAÎTRE JACQUES.

Bonne chère avec peu d'argent!

VALÈRE.

Oui.

MAÎTRE JACQUES.

Par ma foi, Monsieur l'intendant, vous nous obligerez de nous faire voir ce secret, et de prendre mon office de cuisinier: aussi bien vous mêlez-vous[1] céans d'être le factoton.[2] 5

HARPAGON.

Taisez-vous. Qu'est-ce qu'il nous faudra?

MAÎTRE JACQUES.

Voilà Monsieur votre intendant, qui vous fera bonne chère pour peu d'argent.

HARPAGON.

Haye![3] je veux que tu me répondes. 10

MAÎTRE JACQUES.

Combien serez-vous de gens à table?

HARPAGON.

Nous serons huit ou dix; mais il ne faut prendre[4] que huit: quand il y a à manger pour huit, il y en a bien pour dix.

VALÈRE

Cela s'entend. 15

MAÎTRE JACQUES.

Hé bien! il faudra quatre grands potages, et cinq assiettes.[1] Potages... Entrées...

HARPAGON.

Que diable! voilà pour traiter toute une ville entière.

MAÎTRE JACQUES.

Rôt...[2]

HARPAGON, *en lui mettant la main sur la bouche.*

5 Ah! traître, tu manges tout mon bien.

MAÎTRE JACQUES.

Entremets...[3]

HARPAGON.

Encore?

VALÈRE.

Est-ce que vous avez envie de faire crever tout le monde? et Monsieur a-t-il invité des gens pour les assas-
10 siner à force de mangeaille?[4] Allez-vous-en lire un peu les préceptes de la santé,[5] et demander aux médecins s'il y a rien de plus préjudiciable à l'homme que de manger avec excès.

HARPAGON.

Il a raison.

VALÈRE.

15 Apprenez, maître Jacques, vous et vos pareils, que c'est un coupe-gorge qu'une table remplie de trop de

viandes;[1] que, pour se bien montrer ami de ceux que l'on invite, il faut que la frugalité règne dans les repas qu'on donne; et que, suivant le dire d'un ancien,[2] *il faut manger pour vivre, et non pas vivre pour manger.*

HARPAGON.

Ah! que cela est bien dit! Approche, que je t'embrasse pour ce mot. Voilà la plus belle sentence que j'aie entendue de ma vie. *Il faut vivre pour manger, et non pas manger pour vi*... Non, ce n'est pas cela. Comment est-ce que tu dis?

VALÈRE.

Qu'il faut manger pour vivre, et non pas vivre pour manger.

HARPAGON.

Oui. Entends-tu? Qui est le grand homme qui a dit cela?

VALÈRE.

Je ne me souviens pas maintenant de son nom.

HARPAGON.

Souviens-toi de m'écrire ces mots: je les veux faire graver en lettres d'or sur la cheminée de ma salle.[3]

VALÈRE.

Je n'y manquerai pas. Et pour votre soupé, vous n'avez qu'à me laisser faire: je réglerai tout cela comme il faut.

HARPAGON.

Fais donc.

MAÎTRE JACQUES.

Tant mieux: j'en aurai moins de peine.

HARPAGON.

Il faudra de ces choses dont on ne mange guère, et qui rassasient d'abord:[1] quelque bon haricot[2] bien gras, avec quelque pâté en pot[3] bien garni de marrons.

VALÈRE.

5 Reposez-vous sur moi.

HARPAGON.

Maintenant, maître Jacques, il faut nettoyer mon carrosse.

MAÎTRE JACQUES.

Attendez. Ceci s'adresse au cocher. (*Il remet sa casaque.*) Vous dites . . .

HARPAGON.

10 Qu'il faut nettoyer mon carrosse, et tenir mes chevaux tous prêts pour conduire à la foire . . .

MAÎTRE JACQUES.

Vos chevaux, Monsieur? Ma foi, ils ne sont point du tout en état de marcher. Je ne vous dirai point qu'ils sont sur la litière,[4] les pauvres bêtes n'en ont point, et 15 ce serait fort mal parler; mais vous leur faites observer des jeûnes si austères, que ce ne sont plus rien que des idées ou des fantômes, des façons[5] de chevaux.

HARPAGON.

Les voilà bien malades: ils ne font rien.

MAÎTRE JACQUES.

Et pour[1] ne faire rien, Monsieur, est-ce qu'il ne faut rien manger? Il leur vaudrait bien mieux, les pauvres animaux,[2] de travailler[3] beaucoup, de manger de même. Cela me fend le cœur de les voir ainsi exténués; car 5 enfin j'ai une tendresse pour mes chevaux, qu'il me semble[4] que c'est moi-même quand je les vois pâtir; je m'ôte tous les jours pour eux les choses de la bouche;[5] et c'est être, Monsieur, d'un naturel trop dur, que de n'avoir nulle pitié de son prochain. 10

HARPAGON.

Le travail ne sera pas grand, d'aller jusqu'à la foire.

MAÎTRE JACQUES.

Non, Monsieur, je n'ai pas le courage de les mener, et je ferais conscience de[6] leur donner des coups de fouet, en l'état[7] où ils sont. Comment voudriez-vous qu'ils traînassent un carrosse, qu'ils[8] ne peuvent pas se traîner 15 eux-mêmes?

VALÈRE.

Monsieur, j'obligerai[9] le voisin le Picard à se charger de les conduire: aussi bien nous fera-t-il ici besoin pour apprêter le soupé.

MAÎTRE JACQUES.

Soit: j'aime mieux encore qu'ils meurent sous la main 20 d'un autre que sous la mienne.

VALÈRE.

Maître Jacques fait bien le raisonnable.

MAÎTRE JACQUES.

Monsieur l'intendant fait bien le nécessaire.[1]

HARPAGON.

Paix!

MAÎTRE JACQUES.

Monsieur, je ne saurais souffrir les flatteurs; et je vois
5 que ce qu'il en fait,[2] que ses contrôles perpétuels sur le pain et le vin, le bois, le sel, et la chandelle, ne sont rien que pour vous gratter et vous faire sa cour. J'enrage de cela, et je suis fâché tous les jours d'entendre ce qu'on dit de vous; car enfin je me sens pour vous de la
10 tendresse, en dépit que j'en aie;[3] et après mes chevaux, vous êtes la personne que j'aime le plus.

HARPAGON.

Pourrais-je savoir de vous, maître Jacques, ce que l'on dit de moi?

MAÎTRE JACQUES.

Oui, Monsieur, si j'étais assuré que cela ne vous fâchât
15 point.

HARPAGON.

Non, en aucune façon.

MAÎTRE JACQUES.

Pardonnez-moi: je sais fort bien que je vous mettrais en colère.

HARPAGON.

Point du tout: au contraire, c'est me faire plaisir, et je suis bien aise d'apprendre comme[1] on parle de moi.

MAÎTRE JACQUES.

Monsieur,[2] puisque vous le voulez, je vous dirai franchement qu'on se moque partout de vous; qu'on nous jette de tous côtés cent brocards à votre sujet; et que l'on n'est point plus ravi que de vous tenir au cul et aux chausses,[3] et de faire sans cesse des contes de votre lésine. L'un dit que vous faites imprimer des almanachs particuliers, où vous faites doubler les quatre-temps[4] et les vigiles afin de profiter des jeûnes où vous obligez votre monde.[5] L'autre, que vous avez toujours une querelle toute prête à faire à vos valets dans le temps des étrennes,[6] ou de leur sortie d'avec vous,[7] pour vous trouver une raison de ne leur donner rien. Celui-là conte qu'une fois vous fîtes assigner le chat[8] d'un de vos voisins, pour vous avoir mangé un reste d'un gigot de mouton. Celui-ci, que l'on vous surprit une nuit, en venant dérober vous-même l'avoine[9] de vos chevaux; et que votre cocher, qui était celui d'avant moi, vous donna dans l'obscurité je ne sais combien de coups de bâton, dont vous ne voulûtes rien dire. Enfin, voulez-vous que je vous dise? On ne saurait aller nulle part où l'on ne vous entende accommoder de toutes pièces.[10] Vous êtes la fable et la risée de tout le monde; et jamais on ne parle de vous que sous les noms d'avare, de ladre, de vilain et de fesse-mathieu.

HARPAGON, *en le battant.*

Vous êtes un sot, un maraud, un coquin et un impudent.

MAÎTRE JACQUES.

Hé bien![1] ne l'avais-je pas deviné? Vous ne m'avez pas voulu croire: je vous l'avais bien dit que je vous fâcherais de vous dire[2] la vérité.

HARPAGON.

Apprenez à parler.

SCÈNE II

MAÎTRE JACQUES, VALÈRE

VALÈRE.

5 A ce que je puis voir, maître Jacques, on paye mal votre franchise.

MAÎTRE JACQUES.

Morbleu! Monsieur le nouveau venu, qui faites l'homme d'importance, ce n'est pas votre affaire. Riez de vos coups de bâton quand on vous en donnera, et ne venez 10 point rire des miens.

VALÈRE.

Ah! Monsieur maître[3] Jacques, ne vous fâchez pas, je vous prie.

MAÎTRE JACQUES.

Il file doux.[4] Je veux faire le brave, et s'il est assez sot pour me craindre, le frotter[5] quelque peu. Savez-15 vous bien, Monsieur le rieur, que je ne ris pas, moi? et que, si vous m'échauffez la tête, je vous ferai rire d'une autre sorte? (*Maître Jacques pousse Valère jusques au bout du théâtre, en le menaçant.*)

VALÈRE.

Eh! doucement.

MAÎTRE JACQUES.

Comment, doucement? il ne me plaît pas, moi.[1] 5

VALÈRE.

De grâce.

MAÎTRE JACQUES.

Vous êtes un impertinent.

VALÈRE.

Monsieur maître Jacques . . .

MAÎTRE JACQUES.

Il n'y a point de Monsieur maître Jacques pour un double.[2] Si je prends un bâton, je vous rosserai d'im- 10 portance.

VALÈRE.

Comment, un bâton? (*Valère le fait reculer autant qu'il l'a fait.*)

MAÎTRE JACQUES.

Eh! je ne parle pas de cela.

VALÈRE.

Savez-vous bien, Monsieur le fat,[3] que je suis homme 15 à vous rosser vous-même?

MAÎTRE JACQUES.

Je n'en doute pas.

VALÈRE.

Que vous n'êtes, pour tout potage[1] qu'un faquin de cuisinier?[2]

MAÎTRE JACQUES.

Je le sais bien.

VALÈRE.

5 Et que vous ne me connaissez pas encore.

MAÎTRE JACQUES.

Pardonnez-moi.

VALÈRE.

Vous me rosserez, dites-vous?

MAÎTRE JACQUES.

Je le disais en raillant.

VALÈRE.

Et moi, je ne prends point de goût à votre raillerie.
10 (*Il lui donne des coups de bâton.*) Apprenez que vous êtes un mauvais railleur.

MAÎTRE JACQUES.

Peste soit la sincérité! c'est un mauvais métier. Désormais j'y renonce, et je ne veux plus dire vrai. Passe encore pour mon maître:[3] il a quelque droit de me battre;
15 mais, pour[4] ce Monsieur l'intendant, je m'en vengerai si je puis.

SCÈNE III

FROSINE, MARIANE, MAÎTRE JACQUES

FROSINE.

Savez-vous, maître Jacques, si votre maître est au logis?

MAÎTRE JACQUES.

Oui, vraiment, il y est, je ne le sais que trop.[1]

FROSINE.

Dites-lui, je vous prie, que nous sommes ici.

SCÈNE IV

MARIANE, FROSINE

MARIANE.

Ah! que je suis, Frosine, dans un étrange état! et s'il faut dire ce que je sens, que j'appréhende cette vue! 5

FROSINE.

Mais pourquoi, et quelle est votre inquiétude?

MARIANE.

Hélas! me le demandez-vous? et ne vous figurez-vous point les alarmes d'une personne toute prête à voir le supplice[2] où l'on veut l'attacher? 10

FROSINE.

Je vois bien que, pour mourir agréablement, Harpagon n'est pas le supplice que vous voudriez embrasser; et je connais[1] à votre mine que le jeune blondin dont vous m'avez parlé vous revient un peu dans l'esprit.

MARIANE.

5 Oui, c'est une chose, Frosine, dont je ne veux pas me défendre;[2] et les visites respectueuses qu'il a rendues chez nous ont fait, je vous l'avoue, quelque effet dans mon âme.

FROSINE.

Mais avez-vous su quel il est?[3]

MARIANE.

10 Non, je ne sais point quel il est; mais je sais qu'il est fait d'un air[4] à se faire aimer; que si l'on pouvait mettre les choses à mon choix, je le prendrais plutôt qu'un autre; et qu'il ne contribue pas peu à me faire trouver un tourment effroyable dans l'époux qu'on veut me donner.

FROSINE.

15 Mon Dieu! tous ces blondins sont agréables, et débitent fort bien leur fait;[5] mais la plupart sont gueux comme des rats; et il vaut mieux pour vous de prendre[6] un vieux mari qui vous donne beaucoup de bien. Je vous avoue que les sens ne trouvent pas si bien leur 20 compte du côté que je dis, et qu'il y a quelques petits dégoûts à essuyer avec un tel époux; mais cela n'est pas pour durer,[7] et sa mort, croyez-moi, vous mettra bientôt

en état d'en prendre un plus aimable, qui réparera toutes choses.

MARIANE.

Mon Dieu! Frosine, c'est une étrange affaire, lorsque, pour être heureuse, il faut souhaiter ou attendre le trépas de quelqu'un, et la mort ne suit[1] pas tous les projets que 5 nous faisons.

FROSINE.

Vous moquez-vous? Vous ne l'épousez qu'aux conditions[2] de vous laisser veuve bientôt; et ce doit être là un des articles du contrat. Il serait bien impertinent de ne pas mourir dans trois mois. Le voici en propre 10 personne.

MARIANE.

Ah! Frosine, quelle figure![3]

SCÈNE V

Harpagon, Frosine, Mariane

HARPAGON.

Ne vous offensez pas, ma belle, si je viens à vous avec des lunettes.[4] Je sais que vos appas frappent assez les yeux, sont assez visibles d'eux-mêmes, et qu'il n'est pas 15 besoin de lunettes pour les apercevoir; mais enfin c'est avec des lunettes qu'on observe les astres, et je maintiens et garantis que vous êtes un astre, mais un astre, le plus bel astre qui soit dans le pays des astres. Frosine, elle ne répond mot, et ne témoigne, ce me semble, aucune 20 joie de me voir.

FROSINE.

C'est qu'elle est encore toute surprise; et puis, les filles ont toujours honte à[1] témoigner d'abord ce qu'elles ont dans l'âme.

HARPAGON.

Tu as raison. Voilà, belle mignonne, ma fille qui
5 vient vous saluer.

SCÈNE VI

ÉLISE, HARPAGON, MARIANE, FROSINE

MARIANE.

Je m'acquitte bien tard, Madame,[2] d'une telle visite.

ÉLISE.

Vous avez fait, Madame, ce que je devais faire, et c'était à moi de vous prévenir.

HARPAGON.

Vous voyez qu'elle est grande; mais mauvaise herbe
10 croît toujours.

MARIANE, *bas, à Frosine.*

Oh! l'homme déplaisant!

HARPAGON.

Que dit la belle?

FROSINE.

Qu'elle vous trouve admirable.

HARPAGON.

C'est trop d'honneur que vous me faites, adorable mignonne.

MARIANE, *à part.*

Quel animal!

HARPAGON.

Je vous suis trop obligé de ces sentiments.

MARIANE, *à part.*

Je n'y puis plus tenir. 5

HARPAGON.

Voici mon fils aussi qui vous vient faire la révérence.[1]

MARIANE, *à part, à Frosine.*

Ah! Frosine, quelle rencontre! C'est justement celui dont je t'ai parlé.

FROSINE, *à Mariane.*

L'aventure est merveilleuse.

HARPAGON.

Je vois que vous vous étonnez de me[2] voir de si grands 10 enfants; mais je serai bientôt défait et de l'un et de l'autre.

SCÈNE VII

CLÉANTE, HARPAGON, ÉLISE, MARIANE, FROSINE

CLÉANTE.

Madame,[3] à vous dire le vrai, c'est ici une aventure où sans doute je ne m'attendais pas; et mon père ne m'a pas peu surpris lorsqu'il m'a dit tantôt le dessein qu'il avait formé.

MARIANE.

Je puis dire la même chose. C'est une rencontre imprévue qui m'a surprise autant que vous; et je n'étais
5 point préparée à une pareille aventure.

CLÉANTE.

Il est vrai que mon père, Madame, ne peut pas faire un plus beau choix, et que ce m'est une sensible joie que l'honneur de vous voir; mais avec[1] tout cela, je ne vous assurerai point que je me réjouis du dessein où vous
10 pourriez être de devenir ma belle-mère. Le compliment, je vous l'avoue, est trop difficile pour moi; et c'est un titre, s'il vous plaît, que je ne vous souhaite point. Ce discours paraîtra brutal aux yeux de quelques-uns; mais je suis assuré que vous serez personne à le prendre
15 comme il faudra;[2] que c'est un mariage, Madame, où[3] vous vous imaginez bien que je dois avoir de la répugnance; que vous n'ignorez pas, sachant ce que je suis, comme[4] il choque mes intérêts; et que vous voulez bien enfin que je vous dise, avec la permission de mon père,
20 que si les choses dépendaient de moi, cet hymen ne se ferait point.

HARPAGON.

Voilà un compliment bien impertinent: quelle belle confession à lui faire!

MARIANE.

Et moi, pour vous répondre, j'ai à vous dire que les
25 choses sont fort égales;[5] et que si vous auriez[6] de la

répugnance à me voir votre belle-mère, je n'en aurais[1] pas moins sans doute à vous voir mon beau-fils. Ne croyez pas, je vous prie, que ce soit moi qui cherche à vous donner cette inquiétude. Je serais fort fâchée de vous causer du déplaisir; et si je ne m'y vois forcée par 5 une puissance absolue, je vous donne ma parole que je ne consentirai point au mariage qui vous chagrine.

HARPAGON.

Elle a raison: à sot compliment il faut une réponse de même.[2] Je vous demande pardon, ma belle, de l'impertinence de mon fils. C'est un jeune sot, qui ne sait 10 pas encore la conséquence des paroles qu'il dit.

MARIANE.

Je vous promets[3] que ce qu'il m'a dit ne m'a point du tout offensée; au contraire, il m'a fait plaisir de m'expliquer ainsi ses véritables sentiments. J'aime de lui un aveu de la sorte; et s'il avait parlé d'autre façon, je l'en 15 estimerais bien moins.

HARPAGON.

C'est beaucoup de bonté à vous[4] de vouloir ainsi excuser ses fautes. Le temps le rendra plus sage, et vous verrez qu'il changera de sentiments.

CLÉANTE.

Non, mon père, je ne suis point capable d'en changer, 20 et je prie instamment Madame de le croire.

HARPAGON.

Mais voyez quelle extravagance! Il continue encore plus fort.

CLÉANTE.

Voulez-vous que je trahisse mon cœur?[1]

HARPAGON.

Encore? Avez-vous envie de changer de discours?[2]

CLÉANTE.

Hé bien! puisque vous voulez que je parle d'autre façon, souffrez, Madame, que je me mette ici à la place
5 de mon père, et que je vous avoue que je n'ai rien vu dans le monde de si charmant que vous; que je ne conçois rien d'égal au bonheur de vous plaire, et que le titre de votre époux est une gloire, une félicité que je préférerais aux destinées des plus grands princes de la
10 terre. Oui, Madame, le bonheur de vous posséder est à mes regards[3] la plus belle de toutes les fortunes; c'est[4] où j'attache toute mon ambition; il n'y a rien que je ne sois capable de faire pour une conquête si précieuse, et les obstacles les plus puissants...

HARPAGON.

15 Doucement, mon fils, s'il vous plaît.

CLÉANTE.

C'est un compliment que je fais pour vous à Madame.

HARPAGON.

Mon Dieu! j'ai une langue pour m'expliquer moi-même, et je n'ai pas besoin d'un procureur[5] comme vous. Allons, donnez des sièges.

FROSINE.

Non; il vaut mieux que de ce pas nous allions à la foire, afin d'en revenir plus tôt, et d'avoir tout le temps ensuite de vous entretenir.

HARPAGON.

Qu'on mette donc les chevaux au carrosse. Je vous prie de m'excuser, ma belle, si je n'ai pas songé à vous donner un peu de collation avant que de partir. 5

CLÉANTE.

J'y ai pourvu, mon père, et j'ai fait apporter ici quelques bassins d'oranges de la Chine,[1] de citrons doux et de confitures, que j'ai envoyé querir[2] de votre part.

HARPAGON, *bas, à Valère.*

Valère! 10

VALÈRE, *à Harpagon.*

Il a perdu le sens.

CLÉANTE.

Est-ce que vous trouvez, mon père, que ce ne soit pas assez? Madame aura la bonté d'excuser cela, s'il lui plaît.

MARIANE.

C'est une chose qui n'était pas nécessaire. 15

CLÉANTE.

Avez-vous jamais vu, Madame, un diamant plus vif que celui que vous voyez que mon père a au doigt?

MARIANE.

Il est vrai qu'il brille beaucoup.

CLÉANTE.

(*Il l'ôte du doigt de son père, et le donne à Mariane.*)

Il faut que vous le voyiez de près.

MARIANE.

Il est fort beau sans doute, et jette quantité de feux.

CLÉANTE.

(*Il se met au-devant de Mariane, qui le veut rendre.*)

Nenni,[1] Madame: il est en de trop belles mains.
5 C'est un présent que mon père vous a fait.

HARPAGON.

Moi?

CLÉANTE.

N'est-il pas vrai, mon père, que vous voulez que Madame le garde pour l'amour de vous?

HARPAGON, *à part, à son fils.*

Comment?

CLÉANTE.

10 Belle demande! Il me fait signe de vous le faire accepter.

MARIANE.

Je ne veux point...

CLÉANTE.

Vous moquez-vous? Il n'a garde de le reprendre.

HARPAGON, *à part.*

J'enrage!

MARIANE.

Ce serait...

CLÉANTE, *en empêchant toujours Mariane de rendre la bague.*

Non, vous dis-je, c'est l'offenser.

MARIANE.

De grâce... 5

CLÉANTE.

Point du tout.

HARPAGON, *à part.*

Peste soit...

CLÉANTE.

Le voilà qui se scandalise de votre refus.

HARPAGON, *bas, à son fils.*

Ah, traître

CLÉANTE.

Vous voyez qu'il se désespère. 10

HARPAGON, *bas, à son fils, en le menaçant.*

Bourreau que tu es!

CLÉANTE.

Mon père, ce n'est pas ma faute. Je fais ce que je puis pour l'obliger à la[1] garder; mais elle est obstinée.

HARPAGON, *bas, à son fils, avec emportement.*

Pendard!

CLÉANTE.

Vous êtes cause, Madame, que mon père me querelle.

HARPAGON, *bas, à son fils, avec les mêmes grimaces.*

5 Le coquin!

CLÉANTE.

Vous le ferez tomber malade. De grâce, Madame, ne résistez point davantage.

FROSINE.

Mon Dieu! que de façons! Gardez la bague, puisque Monsieur le veut.

MARIANE.

10 Pour ne vous point mettre en colère, je la garde maintenant; et je prendrai un autre temps pour vous la rendre.

SCÈNE VIII

HARPAGON, MARIANE, FROSINE, CLÉANTE, BRINDAVOINE, ÉLISE

BRINDAVOINE.

Monsieur, il y a là un homme qui veut vous parler.

HARPAGON.

Dis-lui que je suis empêché,[1] et qu'il revienne une autre fois.

BRINDAVOINE.

Il dit qu'il vous apporte de l'argent.

HARPAGON.

Je vous demande pardon. Je reviens tout à l'heure.

SCÈNE IX

HARPAGON, MARIANE, CLÉANTE, ÉLISE, FROSINE, LA MERLUCHE

LA MERLUCHE.

(*Il vient en courant, et fait tomber Harpagon.*)

Monsieur . . . 5

HARPAGON.

Ah! je suis mort.

CLÉANTE.

Qu'est-ce, mon père? vous êtes-vous fait mal?

HARPAGON.

Le traître assurément a reçu de l'argent de mes débiteurs, pour me faire rompre le cou.

VALÈRE.

Cela ne sera rien.[2] 10

LA MERLUCHE.

Monsieur, je vous demande pardon, je croyais bien faire d'accourir vite.

HARPAGON.

Que viens-tu faire ici, bourreau?

LA MERLUCHE.

Vous dire que vos deux chevaux sont déferrés.

HARPAGON.

5 Qu'on les mène promptement chez le maréchal.

CLÉANTE.

En attendant qu'ils soient ferrés, je vais faire pour vous, mon père, les honneurs de votre logis, et conduire Madame dans le jardin, où je ferai porter la collation.

HARPAGON.

Valère, aie un peu l'œil à tout cela; et prends soin, 10 je te prie, de m'en sauver le plus que tu pourras, pour le renvoyer au marchand.

VALÈRE.

C'est assez.

HARPAGON.

O fils impertinent, as-tu envie de me ruiner?

ACTE IV

SCÈNE PREMIÈRE

CLÉANTE, MARIANE, ÉLISE, FROSINE

CLÉANTE.

Rentrons ici, nous serons beaucoup mieux. Il n'y a plus autour de nous personne de suspect, et nous pouvons parler librement.

ÉLISE.

Oui, Madame, mon frère m'a fait confidence de la passion qu'il a pour vous. Je sais les chagrins et les déplaisirs[1] que sont capables de causer de pareilles traverses;[2] et c'est, je vous assure, avec une tendresse extrême que je m'intéresse à votre aventure. 5

MARIANE.

C'est une douce consolation que de voir dans ses intérêts une personne comme vous; et je vous conjure, Madame, de me garder toujours cette généreuse amitié, si capable de m'adoucir les cruautés de la fortune. 10

FROSINE.

Vous êtes, par ma foi! de malheureuses gens l'un et l'autre, de ne m'avoir point, avant tout ceci, avertie de votre affaire. Je vous aurais sans doute détourné[1] cette inquiétude, et n'aurais point amené les choses où l'on voit qu'elles sont.

CLÉANTE.

Que veux-tu? C'est ma mauvaise destinée qui l'a
5 voulu ainsi. Mais, belle Mariane, quelles résolutions sont les vôtres?

MARIANE.

Hélas! suis-je en pouvoir de faire[2] des résolutions? Et dans la dépendance où je me vois, puis-je former que[3] des souhaits?

CLÉANTE.

10 Point d'autre appui pour moi dans votre cœur que de simples souhaits? point de pitié officieuse?[4] point de secourable bonté? point d'affection agissante?

MARIANE.

Que saurais-je vous dire? Mettez-vous en ma place,[5] et voyez ce que je puis faire. Avisez, ordonnez vous-
15 même: je m'en remets à vous, et je vous crois trop raisonnable pour vouloir exiger de moi que ce qui peut m'être permis par l'honneur et la bienséance.

CLÉANTE.

Hélas! où[6] me réduisez-vous, que de me renvoyer[7] à ce que voudront me permettre les fâcheux sentiments
20 d'un rigoureux honneur et d'une scrupuleuse bienséance?

MARIANE.

Mais que voulez-vous que je fasse? Quand je pourrais passer sur quantité d'égards où notre sexe est obligé, j'ai de la considération pour ma mère. Elle m'a toujours élevée avec une tendresse extrême, et je ne saurais me résoudre à lui donner du déplaisir. Faites, agissez auprès d'elle,[1] employez tous vos soins à gagner son esprit: vous pouvez faire et dire tout ce que vous 5 voudrez, je vous en donne la licence;[2] et, s'il ne tient qu'à me déclarer en votre faveur, je veux bien consentir à lui faire un aveu moi-même de tout ce que je sens pour vous.

CLÉANTE.

Frosine, ma pauvre Frosine, voudrais-tu nous servir? 10

FROSINE.

Par ma foi! faut-il demander? je le voudrais de tout mon cœur. Vous savez que de mon naturel je suis assez humaine. Le Ciel ne m'a point fait l'âme de bronze,[3] et je n'ai que trop de tendresse[4] à rendre de petits services, quand je vois des gens qui s'entre-aiment en tout bien 15 et en tout honneur.[5] Que pourrions-nous faire à ceci?

CLÉANTE.

Songe un peu, je te prie.

MARIANE.

Ouvre-nous des lumières.[6]

ÉLISE.

Trouve quelque invention pour rompre ce que tu as fait. 20

FROSINE.

Ceci est assez difficile. Pour votre mère, elle n'est pas tout à fait déraisonnable, et peut-être pourrait-on la gagner, et la résoudre à transporter au fils le don qu'elle veut faire au père. Mais le mal que j'y trouve, c'est que 5 votre père est votre père.

CLÉANTE.

Cela s'entend.

FROSINE.

Je veux dire qu'il conservera du dépit, si l'on montre qu'on le refuse; et qu'il ne sera point d'humeur ensuite à donner son consentement à votre mariage. Il faudrait, 10 pour bien faire, que le refus vînt de lui-même, et tâcher par quelque moyen de le dégoûter de votre personne.[1]

CLÉANTE.

Tu as raison.

FROSINE.

Oui, j'ai raison, je le sais bien. C'est là ce qu'il faudrait; mais le diantre est d'en pouvoir trouver les 15 moyens. Attendez: si nous avions quelque femme un peu sur l'âge, qui fût de mon talent, et jouât assez bien pour contrefaire une dame de qualité, par le moyen d'un train fait à la hâte, et d'un bizarre nom de marquise, ou de vicomtesse, que nous supposerions de la basse Bretagne,[2] 20 j'aurais assez d'adresse pour faire accroire à votre père que ce serait[3] une personne riche, outre ses maisons, de cent mille écus en argent comptant; qu'elle serait éperdument amoureuse de lui, et souhaiterait de se voir sa femme, jusqu'à lui donner tout son bien par contrat de mariage; et je ne doute point qu'il ne prêtât[1] l'oreille à la proposition; car enfin il vous aime fort, je le sais; mais il aime un peu plus l'argent; et quand, ébloui de ce leurre, il aurait une fois consenti à ce qui vous touche, 5 il importerait peu ensuite qu'il se désabusât, en venant à vouloir voir clair[2] aux effets de notre marquise.

CLÉANTE.

Tout cela est fort bien pensé.

FROSINE.

Laissez-moi faire. Je viens de me ressouvenir[3] d'une de mes amies qui sera notre fait.[4] 10

CLÉANTE.

Sois assurée, Frosine, de ma reconnaissance, si tu viens à bout de la chose. Mais, charmante Mariane, commençons, je vous prie, par gagner votre mère: c'est toujours beaucoup faire que de rompre ce mariage. Faites-y[5] de votre part, je vous en conjure, tous les 15 efforts qu'il vous sera possible. Servez-vous de tout le pouvoir que vous donne sur elle cette amitié qu'elle a pour vous; déployez sans réserve les grâces éloquentes, les charmes tout-puissants que le Ciel a placés dans vos yeux et dans votre bouche; et n'oubliez rien, s'il vous 20 plaît, de ces tendres paroles, de ces douces prières, et de ces caresses touchantes à qui je suis persuadé qu'on ne saurait rien refuser.

MARIANE.

J'y ferai tout ce que je puis, et n'oublierai aucune chose. 25

SCÈNE II

HARPAGON, CLÉANTE, MARIANE, ÉLISE, FROSINE

HARPAGON.

Ouais! mon fils baise la main de sa prétendue[1] belle-mère, et sa prétendue belle-mère ne s'en défend pas fort. Y aurait-il quelque mystère là-dessous?

ÉLISE.

Voilà mon père.

HARPAGON.

5 Le carrosse est tout prêt. Vous pouvez partir quand il vous plaira.

CLÉANTE.

Puisque vous n'y allez pas, mon père, je m'en vais les conduire.

HARPAGON.

Non, demeurez. Elles iront bien toutes seules; et j'ai 10 besoin de vous.

SCÈNE III

HARPAGON, CLÉANTE

HARPAGON.

Oh çà, intérêt de belle-mère à part,[2] que te semble à toi de cette personne?

CLÉANTE.

Ce qui m'en semble?

HARPAGON.

Oui, de son air, de sa taille, de sa beauté, de son esprit?

CLÉANTE.

La, la.

HARPAGON.

Mais encore?[1] 5

CLÉANTE.

A vous en parler franchement, je ne l'ai pas trouvée ici[2] ce que je l'avais crue. Son air est de franche coquette; sa taille est assez gauche, sa beauté très médiocre, et son esprit des plus communs. Ne croyez pas que ce soit, mon père, pour vous en dégoûter; car, 10 belle-mère pour[3] belle-mère, j'aime autant celle-là qu'une autre.

HARPAGON.

Tu lui disais tantôt pourtant . . .

CLÉANTE.

Je lui ai dit quelques douceurs en votre nom, mais c'était pour vous plaire. 15

HARPAGON.

Si bien donc que[4] tu n'aurais pas d'inclination pour elle?

CLÉANTE.

Moi? point du tout.

HARPAGON.

J'en suis fâché; car cela rompt une pensée qui m'était venue dans l'esprit. J'ai fait, en la voyant ici, réflexion sur mon âge; et j'ai songé qu'on pourra trouver à redire de me voir marier[1] à une si jeune personne. Cette con-
5 sidération m'en faisait quitter le dessein; et, comme je l'ai fait demander, et que je suis pour elle engagé de parole,[2] je te l'aurais donnée, sans l'aversion que tu témoignes.

CLÉANTE.

A moi?

HARPAGON.

10 A toi.

CLÉANTE.

En mariage?

HARPAGON.

En mariage.

CLÉANTE.

Écoutez: il est vrai qu'elle n'est pas fort à mon goût; mais pour vous faire plaisir, mon père, je me résoudrai à
15 l'épouser, si vous voulez.

HARPAGON.

Moi? Je suis plus raisonnable que tu ne penses: je ne veux point forcer ton inclination.

CLÉANTE.

Pardonnez-moi, je me ferai cet effort[3] pour l'amour de vous.

HARPAGON.

Non, non: un mariage ne saurait être heureux où l'inclination n'est pas.

CLÉANTE.

C'est une chose, mon père, qui peut-être viendra ensuite; et l'on dit que l'amour est souvent un fruit du mariage. 5

HARPAGON.

Non: du côté de l'homme, on ne doit point risquer l'affaire, et ce sont des suites[1] fâcheuses, où je n'ai garde de me commettre.[2] Si tu avais senti quelque inclination pour elle, à la bonne heure: je te l'aurais fait épouser, au lieu de moi; mais, cela n'étant pas, je suivrai 10 mon premier dessein, et je l'épouserai moi-même.

CLÉANTE.

Hé bien! mon père, puisque les choses sont ainsi, il faut vous découvrir mon cœur, il faut vous révéler notre secret. La vérité est que je l'aime, depuis un jour que je la vis dans une promenade; que mon dessein était 15 tantôt de vous la demander pour femme; et que rien ne m'a retenu que la déclaration de vos sentiments, et la crainte de vous déplaire.

HARPAGON.

Lui avez-vous[3] rendu visite?

CLÉANTE.

Oui, mon père. 20

HARPAGON.

Beaucoup de fois?

CLÉANTE.

Assez, pour le temps qu'il y a.

HARPAGON.

Vous a-t-on bien reçu?

CLÉANTE.

Fort bien, mais sans savoir qui j'étais; et c'est ce qui
5 a fait tantôt la surprise de Mariane.

HARPAGON.

Lui avez-vous déclaré votre passion, et le dessein où vous étiez de l'épouser?

CLÉANTE.

Sans doute; et même j'en avais fait à sa mère quelque peu d'ouverture.

HARPAGON.

10 A-t-elle écouté, pour sa fille, votre proposition?

CLÉANTE.

Oui, fort civilement.

HARPAGON.

Et la fille correspond-elle fort à votre amour?

CLÉANTE.

Si j'en dois croire les apparences, je me persuade, mon père, qu'elle a quelque bonté pour moi.

HARPAGON.

Je suis bien aise d'avoir appris un tel secret; et voilà justement ce que je demandais. Oh sus![1] mon fils, savez-vous ce qu'il y a? c'est qu'il faut songer, s'il vous plaît, à vous défaire de votre amour; à cesser toutes vos poursuites auprès d'une personne que je prétends pour 5 moi; et à vous marier dans peu avec celle qu'on vous destine.

CLÉANTE.

Oui,[2] mon père, c'est ainsi que vous me jouez! Hé bien! puisque les choses en sont venues là, je vous déclare, moi, que je ne quitterai point la passion que j'ai 10 pour Mariane, qu'il n'y a point d'extrémité où je ne m'abandonne pour vous disputer sa conquête, et que si vous avez pour vous le consentement d'une mère, j'aurai d'autres secours peut-être qui combattront pour moi.

HARPAGON.

Comment, pendard? tu as l'audace d'aller sur mes 15 brisées?[3]

CLÉANTE.

C'est vous qui allez sur les miennes; et je suis le premier en date.

HARPAGON.

Ne suis-je pas ton père? et ne me dois-tu pas respect?

CLÉANTE.

Ce ne sont point ici des choses où les enfants soient 20 obligés de déférer aux pères; et l'amour ne connaît personne.

HARPAGON.

Je te ferai bien me connaître, avec de bons coups de bâton.

CLÉANTE.

Toutes vos menaces ne feront rien.

HARPAGON.

Tu renonceras à Mariane.

CLÉANTE.

5 Point du tout.

HARPAGON.

Donnez-moi un bâton tout à l'heure.

SCÈNE IV

MAÎTRE JACQUES, HARPAGON, CLÉANTE

MAÎTRE JACQUES.

Eh, eh, eh, Messieurs, qu'est-ce ci?[1] à quoi songez-vous?

CLÉANTE.

Je me moque de cela.[2]

MAÎTRE JACQUES.

10 Ah! Monsieur, doucement.

HARPAGON.

Me parler avec cette impudence!

MAÎTRE JACQUES.

Ah! Monsieur, de grâce.

CLÉANTE.

Je n'en démordrai point.

MAÎTRE JACQUES.

Hé quoi? à votre père?

HARPAGON.

Laisse-moi faire.[1]

MAÎTRE JACQUES.

Hé quoi? à votre fils? Encore passe pour moi.[2] 5

HARPAGON.

Je te veux faire toi-même, maître Jacques, juge de cette affaire, pour montrer comme j'ai raison.

MAÎTRE JACQUES.

J'y consens.[3] Éloignez-vous un peu.

HARPAGON.

J'aime une fille que je veux épouser; et le pendard a l'insolence de l'aimer avec moi, et d'y prétendre malgré 10 mes ordres.

MAÎTRE JACQUES.

Ah! il a tort.

HARPAGON.

N'est-ce pas une chose épouvantable, qu'un fils qui veut entrer en concurrence avec son père? et ne doit-il pas, par respect, s'abstenir de toucher à mes inclinations? 15

MAÎTRE JACQUES.

Vous avez raison. Laissez-moi lui parler, et demeurez là.

(*Il vient trouver Cléante à l'autre bout du théâtre.*)

CLÉANTE.

Hé bien! oui, puisqu'il veut te choisir pour juge, je n'y recule point;[1] il ne m'importe qui ce soit; et je veux
5 bien aussi me rapporter[2] à toi, maître Jacques, de notre différend.

MAÎTRE JACQUES.

C'est beaucoup d'honneur que vous me faites.

CLÉANTE.

Je suis épris d'une jeune personne qui répond à mes vœux, et reçoit tendrement les offres de ma foi; et mon
10 père s'avise de venir troubler notre amour par la demande qu'il en fait faire.

MAÎTRE JACQUES.

Il a tort assurément.

CLEANTE.

N'a-t-il point de honte, à son âge, de songer à se marier? lui sied-il bien d'être encore amoureux? et ne
15 devrait-il pas laisser cette occupation aux jeunes gens?

MAÎTRE JACQUES.

Vous avez raison, il se moque. Laissez-moi lui dire deux mots. (*Il revient à Harpagon.*) Hé bien! votre fils n'est pas si étrange[1] que vous le dites, et il se met à la raison.[2] Il dit qu'il sait le respect qu'il vous doit, qu'il ne s'est emporté que dans la première chaleur, et qu'il ne fera point refus de se soumettre à ce qu'il vous plaira, pourvu que vous vouliez le traiter mieux que vous 5 ne faites, et lui donner quelque personne en mariage dont il ait lieu d'être content.

HARPAGON.

Ah! dis-lui, maître Jacques, que moyennant cela, il pourra espérer toutes choses de moi; et que, hors Mariane, je lui laisse la liberté de choisir celle qu'il 10 voudra.

MAÎTRE JACQUES. *Il va au fils.*

Laissez-moi faire. Hé bien! votre père n'est pas si déraisonnable que vous le faites; et il m'a témoigné que ce sont vos emportements qui l'ont mis en colère; qu'il n'en veut seulement qu'à votre manière d'agir, et qu'il 15 sera fort disposé à vous accorder ce que vous souhaitez, pourvu que vous vouliez vous y prendre par la douceur, et lui rendre les déférences, les respects, et les soumissions qu'un fils doit à son père.

CLÉANTE.

Ah! maître Jacques, tu lui peux assurer que, s'il m'ac- 20 corde Mariane, il me verra toujours le plus soumis de tous les hommes; et que jamais je ne ferai aucune chose que par ses volontés.

MAÎTRE JACQUES.

Cela est fait. Il consent à ce que vous dites.

HARPAGON.

Voilà qui va le mieux du monde.

MAÎTRE JACQUES.

Tout est conclu. Il est content de vos promesses.

CLÉANTE.

Le Ciel en soit loué !

MAÎTRE JACQUES.

Messieurs, vous n'avez qu'à parler ensemble : vous
5 voilà d'accord maintenant ; et vous alliez vous quereller, faute de vous entendre.

CLÉANTE.

Mon pauvre maître Jacques, je te serai obligé toute ma vie.

MAÎTRE JACQUES.

Il n'y a pas de quoi,[1] Monsieur.

HARPAGON.

10 Tu m'as fait plaisir,[2] maître Jacques, et cela mérite une récompense. Va, je m'en souviendrai, je t'assure.

(*Il tire son mouchoir de sa poche, ce qui fait croire à maître Jacques qu'il va lui donner quelque chose.*)

MAÎTRE JACQUES.

Je vous baise les mains.

SCÈNE V

CLÉANTE, HARPAGON

CLÉANTE.

Je vous demande pardon, mon père, de l'emportement que j'ai fait paraître.

HARPAGON.

Cela n'est rien.

CLÉANTE.

Je vous assure que j'en ai tous les regrets du monde.

HARPAGON.

Et moi, j'ai toutes les joies du monde de te voir 5 raisonnable.

CLÉANTE.

Quelle bonté à vous[1] d'oublier si vite ma faute!

HARPAGON.

On oublie aisément les fautes des enfants, lorsqu'ils rentrent dans leur devoir.

CLÉANTE.

Quoi? ne garder aucun ressentiment de toutes mes 10 extravagances?

HARPAGON.

C'est une chose où tu m'obliges par la soumission et le respect où tu te ranges.[2]

CLÉANTE.

Je vous promets, mon père, que, jusques au tombeau, je conserverai dans mon cœur le souvenir de vos bontés.

HARPAGON.

Et moi, je te promets qu'il n'y aura aucune chose que de moi tu n'obtiennes.

CLÉANTE.

5 Ah ! mon père, je ne vous demande plus rien ; et c'est m'avoir assez donné que de me donner Mariane.

HARPAGON.

Comment ?

CLÉANTE.

Je dis, mon père, que je suis trop[1] content de vous, et que je trouve toutes choses dans la bonté que vous avez 10 de m'accorder Mariane.

HARPAGON.

Qui est-ce qui parle de t'accorder Mariane ?

CLÉANTE.

Vous, mon père.

HARPAGON.

Moi ?

CLÉANTE.

Sans doute.

HARPAGON.

15 Comment ? C'est toi qui as promis d'y renoncer.

CLÉANTE.

Moi, y renoncer ?

HARPAGON.

Oui.

CLÉANTE.

Point du tout.

HARPAGON.

Tu ne t'es pas départi d'y prétendre ?[1]

CLÉANTE.

Au contraire, j'y suis porté plus que jamais. 5

HARPAGON.

Quoi ? pendard, derechef ?[2]

CLÉANTE.

Rien ne me peut changer.

HARPAGON.

Laisse-moi faire, traître.[3]

CLÉANTE.

Faites tout ce qu'il vous plaira.

HARPAGON.

Je te défends de me jamais voir. 10

CLÉANTE.

A la bonne heure.

HARPAGON.

Je t'abandonne.

CLÉANTE.

Abandonnez.

HARPAGON.

Je te renonce pour mon fils.

CLÉANTE.

Soit.

HARPAGON.

5 Je te déshérite.

CLÉANTE.

Tout ce que vous voudrez.

HARPAGON.

Et je te donne ma malédiction.

CLÉANTE.

Je n'ai que faire de vos dons.

SCÈNE VI

LA FLÈCHE, CLÉANTE

LA FLÈCHE, *sortant du jardin, avec une cassette.*

Ah! Monsieur, que je vous trouve à propos! suivez-
10 moi vite.

CLÉANTE.

Qu'y a-t-il?

LA FLÈCHE.

Suivez-moi, vous dis-je: nous sommes bien.[1]

CLÉANTE.

Comment?

LA FLÈCHE.

Voici votre affaire.[2]

CLÉANTE.

Quoi?

LA FLÈCHE.

J'ai guigné ceci tout le jour. 5

CLÉANTE.

Qu'est-ce quc c'est?

LA FLÈCHE.

Le trésor de votre père, que j'ai attrapé.

CLÉANTE.

Comment as-tu fait?

LA FLÈCHE.

Vous saurez tout. Sauvons-nous, je l'entends crier.

SCÈNE VII

HARPAGON

(*Il crie au voleur dès le jardin, et vient sans chapeau*).

Au voleur![3] au voleur! à l'assassin! au meurtrier! Justice, juste Ciel! je suis perdu, je suis assassiné; on m'a coupé la gorge, on m'a dérobé mon argent. Qui peut-ce être? Qu'est-il devenu? Où est-il? Où se cache-t-il? Que 10

ferai-je pour le trouver? Où courir? Où ne pas courir? N'est-il point là? N'est-il point ici? Qui est-ce? Arrête.[1] Rends-moi mon argent, coquin.... (*Il se prend lui-même le bras.*) Ah! c'est moi. Mon esprit est troublé, et
5 j'ignore où je suis, qui je suis, et ce que je fais. Hélas! mon pauvre argent, mon pauvre argent, mon cher ami; on m'a privé de toi; et puisque tu m'es enlevé, j'ai perdu mon support, ma consolation, ma joie; tout est fini pour moi, et je n'ai plus que faire au monde: sans toi, il
10 m'est impossible de vivre. C'en est fait, je n'en puis plus; je me meurs, je suis mort, je suis enterré. N'y a-t-il personne qui veuille me ressusciter, en me rendant mon cher argent, ou en m'apprenant qui l'a pris? Euh? que dites-vous? Ce n'est personne. Il faut, qui que ce
15 soit qui ait fait le coup,[2] qu'avec beaucoup de soin on ait épié l'heure; et l'on a choisi justement le temps que je parlais à mon traître de fils. Sortons. Je veux aller querir la justice,[3] et faire donner la question[4] à toute la maison: à servantes, à valets, à fils, à fille, et à moi
20 aussi. Que de gens assemblés! Je ne jette mes regards sur personne qui ne me donne des soupçons, et tout me semble mon voleur. Eh! de quoi est-ce qu'on parle là?[5] De celui qui m'a dérobé? Quel bruit fait-on là-haut?[6] Est-ce mon voleur qui y est? De grâce, si l'on sait des
25 nouvelles de mon voleur, je supplie que l'on m'en dise. N'est-il point caché là parmi vous? Ils me regardent tous, et se mettent à rire. Vous verrez qu'ils ont part sans doute au vol que l'on m'a fait. Allons vite, des commissaires,[7] des archers,[8] des prévôts, des juges, des
30 gênes, des potences et des bourreaux. Je veux faire pendre tout le monde; et si je ne retrouve mon argent, je me pendrai moi-même après.

ACTE V

SCÈNE PREMIÈRE

HARPAGON, LE COMMISSAIRE, SON CLERC

LE COMMISSAIRE.

Laissez-moi faire: je sais mon métier, Dieu merci. Ce n'est pas d'aujourd'hui que je me mêle de découvrir des vols; et je voudrais avoir autant de sacs de mille francs que j'ai fait pendre de personnes.

HARPAGON.

Tous les magistrats sont intéressés à prendre cette affaire en main; et si l'on ne me fait retrouver mon argent, je demanderai justice[1] de la justice. 5

LE COMMISSAIRE.

Il faut faire toutes les poursuites requises. Vous dites qu'il y avait dans cette cassette...?

HARPAGON.

Dix mille écus bien comptés. 10

LE COMMISSAIRE.

Dix mille écus!

HARPAGON.

Dix mille écus.[1]

LE COMMISSAIRE.

Le vol est considérable.

HARPAGON.

Il n'y a point de supplice assez grand pour l'énormité de ce crime; et s'il demeure impuni, les choses les plus
5 sacrées ne sont plus en sûreté.

LE COMMISSAIRE.

En quelles espèces était cette somme?

HARPAGON.

En bons louis d'or et pistoles bien trébuchantes.[2]

LE COMMISSAIRE.

Qui soupçonnez-vous de ce vol?

HARPAGON.

Tout le monde; et je veux que vous arrêtiez prison-
10 niers la ville et les faubourgs.

LE COMMISSAIRE.

Il faut, si vous m'en croyez, n'effaroucher personne, et tâcher doucement d'attraper quelques preuves, afin de procéder après par la rigueur au recouvrement des deniers qui vous ont été pris.

SCÈNE II

MAÎTRE JACQUES, HARPAGON, LE COMMISSAIRE, SON CLERC

MAÎTRE JACQUES, *au bout du théâtre, en se retournant du côté dont il sort.*[1]

Je m'en vais revenir. Qu'on me[2] l'égorge tout à l'heure; qu'on me lui fasse griller les pieds, qu'on me le mette dans l'eau bouillante, et qu'on me le pende au plancher.

HARPAGON.

Qui? celui qui m'a dérobé?[3] 5

MAÎTRE JACQUES.

Je parle d'un cochon de lait que votre intendant me vient d'envoyer, et je veux vous l'accommoder à ma fantaisie.

HARPAGON.

Il n'est pas question de cela; et voilà Monsieur, à qui il faut parler d'autre chose. 10

LE COMMISSAIRE.

Ne vous épouvantez point. Je suis homme à ne vous point scandaliser,[4] et les choses iront dans la douceur.[5]

MAÎTRE JACQUES.

Monsieur est de votre soupé?

LE COMMISSAIRE.

Il faut ici, mon cher ami, ne rien cacher à votre maître.

MAÎTRE JACQUES.

Ma foi! Monsieur, je montrerai tout ce que je sais faire, et je vous traiterai du mieux qu'il me sera pos-
5 sible.

HARPAGON.

Ce n'est pas là l'affaire.

MAÎTRE JACQUES.

Si je ne vous fais pas aussi bonne chère que je voudrais, c'est la faute de Monsieur notre intendant, qui m'a rogné les ailes avec les ciseaux de son économie.

HARPAGON.

10 Traître, il s'agit d'autre chose que de souper; et je veux que tu me dises des nouvelles de l'argent qu'on m'a pris.

MAÎTRE JACQUES.

On vous a pris de l'argent?

HARPAGON.

Oui, coquin; et je m'en vais te pendre, si tu ne me
15 le rends.

LE COMMISSAIRE.

Mon Dieu! ne le maltraitez point. Je vois à sa mine qu'il est honnête homme, et que sans se faire mettre en prison, il vous découvrira ce que vous voulez savoir. Oui, mon ami, si vous nous confessez la chose, il ne vous sera fait aucun mal, et vous serez récompensé comme il faut par votre maître. On lui a pris aujourd'hui son argent, et il n'est pas[1] que vous ne sachiez quelques nouvelles de cette affaire. 5

MAÎTRE JACQUES, *à part.*

Voici justement ce qu'il me faut pour me venger[2] de notre intendant: depuis qu'il est entré céans, il est le favori, on n'écoute que ses conseils; et j'ai aussi sur le cœur[3] les coups de bâton de tantôt.

HARPAGON.

Qu'as-tu à ruminer? 10

LE COMMISSAIRE.

Laissez-le faire: il se prépare à vous contenter, et je vous ai bien dit[4] qu'il était honnête homme.

MAÎTRE JACQUES.

Monsieur, si vous voulez que je vous dise les choses,[5] je crois que c'est Monsieur votre cher intendant qui a fait le coup. 15

HARPAGON.

Valère?

MAÎTRE JACQUES.

Oui.

HARPAGON.

Lui, qui me paraît si fidèle?

MAÎTRE JACQUES.

Lui-même. Je crois que c'est lui qui vous a dérobé.

HARPAGON.

Et sur quoi le crois-tu?

MAÎTRE JACQUES.

Sur quoi?

HARPAGON.

Oui.

MAÎTRE JACQUES.

5 Je le crois . . . sur ce que[1] je le crois.

LE COMMISSAIRE.

Mais il est nécessaire de dire les indices que vous avez.

HARPAGON.

L'as-tu vu rôder autour du lieu où j'avais mis mon argent?

MAÎTRE JACQUES.

10 Oui, vraiment. Où était-il votre argent?

HARPAGON.

Dans le jardin.

MAÎTRE JACQUES.

Justement: je l'ai vu rôder dans le jardin. Et dans quoi est-ce que cet argent était?

HARPAGON.

Dans une cassette.

MAÎTRE JACQUES.

Voilà l'affaire: je lui ai vu[1] une cassette.

HARPAGON.

Et cette cassette, comment est-elle faite?[2] Je verrai bien si c'est la mienne.

MAÎTRE JACQUES.

Comment elle est faite?

HARPAGON.

Oui. 5

MAÎTRE JACQUES.

Elle est faite . . . elle est faite comme une cassette.

LE COMMISSAIRE.

Cela s'entend. Mais dépeignez-la un peu, pour voir.

MAÎTRE JACQUES.

C'est une grande cassette.

HARPAGON.

Celle qu'on m'a volée est petite.

MAÎTRE JACQUES.

Eh! oui, elle est petite, si on le veut prendre par là;[3] 10
mais je l'appelle grande pour ce qu'elle contient.

LE COMMISSAIRE.

Et de quelle couleur est-elle?

MAÎTRE JACQUES.

De quelle couleur?

LE COMMISSAIRE.

Oui.

MAÎTRE JACQUES.

Elle est de couleur . . . là, d'une certaine couleur . . .
Ne sauriez-vous m'aider à dire?

HARPAGON.

5 Euh?

MAÎTRE JACQUES.

N'est-elle pas rouge?

HARPAGON.

Non, grise.

MAÎTRE JACQUES.

Eh! oui, gris-rouge: c'est ce que je voulais dire.

HARPAGON.

Il n'y a point de doute: c'est elle assurément. Écri-
10 vez, Monsieur, écrivez sa déposition. Ciel! à qui désormais se fier? Il ne faut plus jurer de rien;[1] et je
crois après cela que je suis homme à me voler moi-
même.

MAÎTRE JACQUES.

Monsieur, le voici qui revient. Ne lui allez pas dire
15 au moins que c'est moi qui vous ai découvert cela.

SCÈNE III

VALÈRE, HARPAGON, LE COMMISSAIRE, SON CLERC, MAÎTRE JACQUES

HARPAGON.

Approche:[1] viens confesser l'action la plus noire, l'attentat le plus horrible qui jamais ait été commis.

VALÈRE.

Que voulez-vous, Monsieur?

HARPAGON.

Comment, traître, tu ne rougis pas de ton crime?

VALÈRE.

De quel crime voulez-vous donc parler? 5

HARPAGON.

De quel crime je veux parler, infâme? comme si tu ne savais pas ce que je veux dire. C'est en vain que tu prétendrais[2] de le déguiser: l'affaire est découverte, et l'on vient de m'apprendre tout. Comment abuser ainsi de ma bonté, et s'introduire exprès chez moi pour me 10 trahir? pour me jouer un tour de cette nature?

VALÈRE.

Monsieur, puisqu'on vous a découvert tout, je ne veux point chercher de détours et vous nier la chose.

MAÎTRE JACQUES.

Oh, oh! aurais-je deviné[1] sans y penser?

VALÈRE.

C'était mon dessein de vous en parler, et je voulais attendre pour cela des conjonctures favorables; mais puisqu'il est ainsi,[2] je vous conjure de ne vous point
5 fâcher, et de vouloir entendre mes raisons.

HARPAGON.

Et quelles belles raisons peux-tu me donner, voleur infâme?

VALÈRE.

Ah! Monsieur, je n'ai pas mérité ces noms. Il est vrai que j'ai commis une offense envers vous; mais,
10 après tout, ma faute est pardonnable.

HARPAGON.

Comment, pardonnable? Un guet-apens? un assassinat de la sorte?

VALÈRE.

De grâce, ne vous mettez point en colère. Quand vous m'aurez ouï, vous verrez que le mal n'est pas si
15 grand que vous le faites.

HARPAGON.

Le mal n'est pas si grand que je le fais! Quoi? mon sang, mes entrailles,[3] pendard?

VALÈRE.

Votre sang, Monsieur, n'est pas tombé dans de mauvaises mains. Je suis d'une condition à ne lui point faire de tort, et il n'y a rien en tout ceci que je ne puisse bien réparer.

HARPAGON.

C'est bien mon intention, et que tu me restitues ce que tu m'as ravi. 5

VALÈRE.

Votre honneur, Monsieur, sera pleinement satisfait.

HARPAGON.

Il n'est pas question d'honneur là dedans. Mais, dis-moi, qui[1] t'a porté à cette action?

VALÈRE.

Hélas! me le demandez-vous? 10

HARPAGON.

Oui, vraiment, je te le demande.

VALÈRE.

Un dieu qui porte les excuses[2] de tout ce qu'il fait faire: l'Amour.

HARPAGON.

L'Amour?

VALÈRE.

Oui. 15

HARPAGON.

Bel amour, bel amour, ma foi! l'amour de mes louis d'or.

VALÈRE.

Non, Monsieur, ce ne sont point vos richesses qui m'ont tenté; ce n'est pas cela qui m'a ébloui, et je pro-
5 teste de ne prétendre rien à tous vos biens, pourvu que vous me laissiez celui que j'ai.

HARPAGON.

Non ferai,[1] de par tous les diables![2] je ne te le laisserai pas. Mais voyez quelle insolence de vouloir retenir le vol qu'il m'a fait.

VALÈRE.

10 Appelez-vous cela un vol?

HARPAGON.

Si je l'appelle un vol? Un trésor comme celui-là!

VALÈRE.

C'est un trésor, il est vrai, et le plus précieux que vous ayez sans doute; mais ce ne sera pas le perdre que de me le laisser. Je vous le demande à genoux, ce
15 trésor plein de charmes; et pour bien faire, il faut que vous me l'accordiez.

HARPAGON.

Je n'en ferai rien. Qu'est-ce à dire cela?[3]

VALÈRE.

Nous nous sommes promis une foi mutuelle, et avons fait serment de ne nous point abandonner.

HARPAGON.

Le serment est admirable, et la promesse plaisante !

VALÈRE.

Oui, nous nous sommes engagés d'être[1] l'un à l'autre à jamais. 5

HARPAGON.

Je vous en empêcherai bien, je vous assure.

VALÈRE.

Rien que la mort ne nous peut séparer.

HARPAGON.

C'est être bien endiablé[2] après mon argent.

VALÈRE.

Je vous ai déjà dit, Monsieur, que ce n'était point l'intérêt qui m'avait poussé à faire ce que j'ai fait. Mon 10 cœur n'a point agi par les ressorts que vous pensez, et un motif plus noble m'a inspiré cette résolution.

HARPAGON.

Vous verrez que c'est par charité chrétienne qu'il veut avoir mon bien ; mais j'y donnerai bon ordre ;[3] et la justice, pendard effronté, me va faire raison de tout. 15

VALÈRE.

Vous en userez comme vous voudrez, et me voilà prêt à souffrir toutes les violences qu'il vous plaira; mais je vous prie de croire, au moins, que, s'il y a du mal, ce n'est que moi qu'il en faut accuser, et que votre fille en 5 tout ceci n'est aucunement coupable.

HARPAGON.

Je le crois bien, vraiment; il serait fort étrange que ma fille eût trempé dans ce crime. Mais je veux ravoir mon affaire, et que tu me confesses[1] en quel endroit tu me l'as enlevée.

VALÈRE.

10 Moi? je ne l'ai point enlevée, et elle est encore chez vous.

HARPAGON.

O ma chère cassette![2] Elle n'est point sortie de ma maison?

VALÈRE.

Non, Monsieur.

HARPAGON.

15 Hé! dis-moi[3] donc un peu: tu n'y as point touché?

VALÈRE.

Moi, y toucher? Ah! vous lui faites tort, aussi bien qu'à moi; et c'est d'une ardeur toute pure et respectueuse que j'ai brûlé pour elle.

HARPAGON.

Brûlé pour ma cassette!

VALÈRE.

J'aimerais mieux mourir que de lui avoir fait paraître aucune pensée offensante: elle est trop sage et trop honnête pour cela.

HARPAGON.

Ma cassette trop honnête!

VALÈRE.

Tous mes désirs se sont bornés à jouir de sa vue; et rien de criminel n'a profané la passion que ses beaux yeux m'ont inspirée.

HARPAGON.

Les beaux yeux de ma cassette! Il parle d'elle comme un amant d'une maîtresse.

VALÈRE.

Dame Claude, Monsieur, sait la vérité de cette aventure, et elle vous peut rendre témoignage . . .

HARPAGON.

Quoi? ma servante est complice de l'affaire?

VALÈRE.

Oui, Monsieur, elle a été témoin de notre engagement; et c'est après avoir connu l'honnêteté de ma flamme, qu'elle m'a aidé à persuader votre fille de me donner sa foi, et recevoir la mienne.

HARPAGON.

Eh? Est-ce que la peur de la justice le fait extravaguer? Que nous brouilles-tu ici de ma fille?[1]

VALÈRE.

Je dis, Monsieur, que j'ai eu toutes les peines du monde à faire consentir sa pudeur à ce que voulait mon amour.

HARPAGON.

La pudeur de qui ?

VALÈRE.

5 De votre fille ; et c'est seulement depuis hier qu'elle a pu se résoudre à nous signer[1] mutuellement une promesse de mariage.

HARPAGON.

Ma fille t'a signé une promesse de mariage!

VALÈRE.

Oui, Monsieur, comme, de ma part, je lui en ai signé 10 une.

HARPAGON.

O Ciel! autre disgrâce! [2]

MAÎTRE JACQUES.

Écrivez, Monsieur, écrivez.

HARPAGON.

Rengrégement[3] de mal! surcroît de désespoir! Allons, Monsieur, faites le dû[4] de votre charge, et dressez-lui-15 moi[5] son procès, comme larron, et comme suborneur.

VALÈRE.

Ce sont des noms qui ne me sont point dus; et quand on saura qui je suis . . .

SCÈNE IV

ÉLISE, MARIANE, FROSINE, HARPAGON, VALÈRE, MAÎTRE JACQUES, LE COMMISSAIRE, SON CLERC

HARPAGON.

Ah! fille scélérate! fille indigne d'un père comme moi! c'est ainsi que tu pratiques les leçons que je t'ai données? Tu te laisses prendre d'amour pour un voleur infâme, et tu lui engages ta foi sans mon consentement? Mais vous serez trompés l'un et l'autre. Quatre bonnes 5 murailles[1] me répondront de ta conduite; et une bonne potence me fera raison de ton audace.[2]

VALÈRE.

Ce ne sera point votre passion qui jugera l'affaire; et l'on m'écoutera, au moins, avant que de me condamner.

HARPAGON.

Je me suis abusé de dire une potence, et tu seras roué 10 tout vif.[3]

ÉLISE, *à genoux devant son père.*

Ah! mon père, prenez des sentiments un peu plus humains, je vous prie, et n'allez point pousser les choses dans les dernières violences du pouvoir paternel.[4] Ne vous laissez point entraîner aux premiers mouvements[5] 15 de votre passion, et donnez-vous le temps de considérer ce que vous voulez faire. Prenez la peine de mieux voir celui dont vous vous offensez:[6] il est tout autre que vos yeux ne le jugent; et vous trouverez moins étrange que

je me sois donnée à lui, lorsque vous saurez que sans lui vous ne m'auriez plus il y a longtemps. Oui, mon père, c'est celui qui me sauva de ce grand péril que vous savez que je courus dans l'eau, et à qui vous devez la
5 vie de cette même fille dont . . .

HARPAGON.

Tout cela n'est rien ; et il valait bien mieux pour moi qu'il te laissât noyer que de faire ce qu'il a fait.[1]

ÉLISE.

Mon père, je vous conjure, par l'amour paternel, de me . . .

HARPAGON.

10 Non, non, je ne veux rien entendre ; et il faut que la justice fasse son devoir.

MAÎTRE JACQUES.

Tu me payeras mes coups de bâton.

FROSINE.

Voici un étrange embarras.

SCÈNE V

ANSELME, HARPAGON, ÉLISE, MARIANE, FROSINE, VALÈRE, MAÎTRE JACQUES, LE COMMISSAIRE, SON CLERC

ANSELME.

Qu'est-ce, Seigneur Harpagon ? je vous vois tout ému.

HARPAGON.

Ah! Seigneur Anselme, vous me voyez le plus infortuné de tous les hommes; et voici bien du trouble et du désordre au[1] contrat que vous venez faire! On m'assassine dans le bien,[2] on m'assassine dans l'honneur; et voilà un traître, un scélérat, qui a violé tous les droits 5 les plus saints, qui s'est coulé chez moi sous le titre de domestique, pour me dérober mon argent et pour me suborner ma fille.

VALÈRE.

Qui songe à votre argent, dont vous me faites un galimatias?[3] 10

HARPAGON.

Oui, ils se sont donné l'un et l'autre une promesse de mariage. Cet affront vous regarde, Seigneur Anselme, et c'est vous qui devez vous rendre partie contre lui,[4] et faire toutes les poursuites de la justice, pour vous venger de son insolence. 15

ANSELME.

Ce n'est pas mon dessein de me faire épouser par force, et de rien prétendre à un cœur qui se serait donné;[5] mais pour vos intérêts, je suis prêt à les embrasser ainsi que les miens propres.

HARPAGON.

Voilà Monsieur qui est un honnête commissaire, qui 20 n'oubliera rien, à ce qu'il m'a dit, de la fonction de son office. Chargez-le comme il faut, Monsieur, et rendez les choses bien criminelles.

VALÈRE.

Je ne vois pas quel crime on me peut faire de la passion que j'ai pour votre fille; et le supplice où vous croyez que je puisse[1] être condamné pour notre engagement, lorsqu'on saura ce que je suis . . .

HARPAGON.

5 Je me moque de tous ces contes; et le monde aujourd'hui n'est plein que de ces larrons de noblesse,[2] que de ces imposteurs, qui tirent avantage de leur obscurité, et s'habillent insolemment du premier nom illustre qu'ils s'avisent de prendre.

VALÈRE.

10 Sachez que j'ai le cœur trop bon[3] pour me parer de quelque chose qui ne soit point à moi, et que tout Naples peut rendre témoignage de ma naissance.

ANSELME.

Tout beau! prenez garde à ce que vous allez dire. Vous risquez ici plus que vous ne pensez; et vous parlez 15 devant un homme à qui tout Naples est connu, et qui peut aisément voir clair[4] dans l'histoire que vous ferez.

VALÈRE, *en mettant fièrement son chapeau.*[5]

Je ne suis point homme à rien craindre, et si Naples vous est connu, vous savez qui était Dom Thomas d'Alburcy.

ANSELME.

20 Sans doute, je le sais; et peu de gens l'ont connu mieux que moi.

HARPAGON.

Je ne me soucie ni de Dom Thomas ni de Dom Martin.[1]

ANSELME.

De grâce, laissez-le parler, nous verrons ce qu'il en veut dire.

VALÈRE.

Je veux dire que c'est lui qui m'a donné le jour. 5

ANSELME.

Lui ?

VALÈRE.

Oui.

ANSELME.

Allez ; vous vous moquez. Cherchez quelque autre histoire, qui vous puisse mieux réussir, et ne prétendez pas vous sauver sous cette imposture. 10

VALÈRE.

Songez à mieux parler. Ce n'est point une imposture; et je n'avance rien qu'il ne me soit aisé de justifier.

ANSELME.

Quoi ? vous osez vous dire fils de Dom Thomas d'Alburcy ?

VALÈRE.

Oui, je l'ose; et je suis prêt de[2] soutenir cette vérité 15 contre qui que ce soit.

ANSELME.

L'audace est merveilleuse. Apprenez, pour vous confondre, qu'il y a seize ans pour le moins que l'homme dont vous nous parlez périt sur mer avec ses enfants et sa femme, en voulant dérober leur vie aux cruelles per-
5 sécutions qui ont accompagné les désordres de Naples,[1] et qui en firent exiler plusieurs nobles familles.

VALÈRE.

Oui; mais apprenez, pour vous confondre, vous, que son fils, âgé de sept ans, avec un domestique, fut sauvé de ce naufrage par un vaisseau espagnol, et que ce fils
10 sauvé est celui qui vous parle; apprenez que le capitaine de ce vaisseau, touché de ma fortune, prit amitié pour moi;[2] qu'il me fit élever comme son propre fils, et que les armes furent mon emploi dès que je m'en trouvai capable; que j'ai su depuis peu que mon père n'était
15 point mort, comme je l'avais toujours cru; que passant ici pour l'aller chercher, une aventure, par le Ciel concertée,[3] me fit voir la charmante Élise; que cette vue me rendit esclave de ses beautés; et que la violence de mon amour, et les sévérités de son père, me firent prendre la
20 résolution de m'introduire dans son logis, et d'envoyer un autre à la quête[4] de mes parents.

ANSELME.

Mais quels témoignages encore, autres que vos paroles, nous peuvent assurer que ce ne soit point une fable que vous ayez bâtie sur une vérité?

VALÈRE.

25 Le capitaine espagnol; un cachet de rubis qui était à mon père; un bracelet d'agate que ma mère m'avait mis

au bras; le vieux Pedro, ce domestique qui se sauva avec moi du naufrage.

MARIANE.

Hélas![1] à vos paroles je puis ici répondre, moi, que vous n'imposez[2] point; et tout ce que vous dites me fait connaître clairement que vous êtes mon frère. 5

VALÈRE.

Vous, ma sœur?

MARIANE.

Oui. Mon cœur s'est ému dès le moment que vous avez ouvert la bouche; et notre mère, que vous allez ravir, m'a mille fois entretenue des disgrâces de notre famille. Le Ciel ne nous fit point aussi[3] périr dans ce 10 triste naufrage; mais il ne nous sauva la vie que par la perte de notre liberté; et ce furent des corsaires qui nous recueillirent, ma mère et moi, sur un débris de notre vaisseau. Après dix ans d'esclavage, une heureuse fortune nous rendit notre liberté, et nous retournâmes 15 dans Naples, où nous trouvâmes tout notre bien vendu, sans y pouvoir trouver des nouvelles de notre père. Nous passâmes à Gênes, où ma mère alla ramasser quelques malheureux restes d'une succession qu'on avait déchirée;[4] et de là, fuyant la barbare injustice de ses parents, elle 20 vint en ces lieux, où elle n'a presque vécu que d'une vie languissante.

ANSELME.

O Ciel! quels sont les traits de ta puissance! et que tu fais bien voir qu'il n'appartient qu'à toi de faire des miracles! Embrassez-moi, mes enfants, et mêlez tous deux vos transports à ceux de votre père.

VALÈRE.

Vous êtes notre père?

MARIANE.

C'est vous que ma mère a tant pleuré?

ANSELME.

5 Oui, ma fille, oui, mon fils, je suis Dom Thomas d'Alburcy, que le Ciel garantit des ondes avec tout l'argent qu'il portait, et qui vous ayant tous crus morts durant plus de seize ans, se préparait, après de longs voyages, à chercher dans l'hymen d'une[1] douce et sage personne la 10 consolation de quelque nouvelle famille. Le peu de sûreté que j'ai vu[2] pour ma vie à retourner[3] à Naples, m'a fait y renoncer[4] pour toujours; et ayant su trouver moyen d'y faire vendre ce que j'avais, je me suis habitué[5] ici, où, sous le nom d'Anselme, j'ai voulu m'éloigner[6] les 15 chagrins de cet autre nom qui m'a causé tant de traverses.

HARPAGON.

C'est là votre fils?

ANSELME.

Oui.

HARPAGON.

Je vous prends à partie,[7] pour me payer dix mille 20 écus qu'il m'a volés.

ANSELME.

Lui, vous avoir volé?

HARPAGON.

Lui-même.

VALÈRE.

Qui vous dit cela?

HARPAGON.

Maître Jacques.

VALÈRE.

C'est toi qui le dis? 5

MAÎTRE JACQUES.

Vous voyez que je ne dis rien.

HARPAGON.

Oui: voilà Monsieur le Commissaire qui a reçu sa déposition.

VALÈRE.

Pouvez-vous me croire capable d'une action si lâche?

HARPAGON.

Capable ou non capable, je veux ravoir mon argent. 10

SCÈNE VI

CLÉANTE, VALÈRE, MARIANE, ÉLISE, FROSINE, HARPAGON, ANSELME, MAÎTRE JACQUES, LA FLÈCHE, LE COMMISSAIRE, SON CLERC

CLÉANTE.

Ne vous tourmentez point, mon père, et n'accusez personne. J'ai découvert des nouvelles de votre affaire, et je viens ici pour vous dire que, si vous voulez vous résoudre à me laisser épouser Mariane, votre argent vous
5 sera rendu.

HARPAGON.

Où est-il?

CLÉANTE.

Ne vous en mettez point en peine: il est en lieu[1] dont je réponds, et tout ne dépend que de moi. C'est à vous de me dire à quoi vous vous déterminez; et vous
10 pouvez choisir, ou de me donner Mariane, ou de perdre votre cassette.

HARPAGON.

N'en a-t-on rien ôté?[2]

CLÉANTE.

Rien du tout. Voyez si c'est votre dessein de souscrire à ce mariage, et de joindre votre consentement à
15 celui de sa mère, qui lui laisse la liberté de faire un choix entre nous deux.

MARIANE.

Mais vous ne savez pas que ce n'est pas assez que ce consentement, et que le Ciel, avec un frère que vous voyez, vient de me rendre un père dont vous avez à m'obtenir.

ANSELME.

Le Ciel, mes enfants, ne me redonne[1] point à vous pour être contraire à vos vœux. Seigneur Harpagon, vous jugez bien que le choix d'une jeune personne tombera sur le fils plutôt que sur le père. Allons, ne vous faites point[2] dire ce qu'il n'est pas nécessaire d'entendre, et consentez ainsi que moi à ce double hyménée.

HARPAGON.

Il faut, pour me donner conseil,[3] que je voie ma cassette.

CLÉANTE.

Vous la verrez saine et entière.

HARPAGON.

Je n'ai point d'argent à donner en mariage à mes enfants.

ANSELME.

Hé bien! j'en ai pour eux; que cela ne vous inquiète point.

HARPAGON.

Vous obligerez-vous à faire tous les frais de ces deux mariages?

ANSELME.

Oui, je m'y oblige: êtes-vous satisfait?

HARPAGON.

Oui, pourvu que pour les noces vous me fassiez faire un habit.

ANSELME.

D'accord. Allons jouir de l'allégresse que cet heu-
5 reux jour nous présente.

LE COMMISSAIRE.

Holà! Messieurs, holà! tout doucement, s'il vous plaît: qui me payera mes écritures?

HARPAGON.

Nous n'avons que faire de vos écritures.

LE COMMISSAIRE.

Oui! mais je ne prétends pas, moi, les avoir faites
10 pour rien.

HARPAGON.

Pour votre payement, voilà un homme que je vous donne à pendre.

MAÎTRE JACQUES.

Hélas! comment faut-il donc faire? On me donne des coups de bâton pour dire vrai, et on me veut pendre
15 pour mentir.

ANSELME.

Seigneur Harpagon, il faut lui pardonner cette imposture.

HARPAGON.

Vous payerez donc le Commissaire?

ANSELME.

Soit. Allons vite faire part de notre joie à votre mère. 5

HARPAGON.

Et moi, voir ma chère cassette.

NOTES

Page 2. — 1. **Acteurs.** In the sixteenth and part of the seventeenth century the *dramatis personae* were called *entre-parleurs.* The word was then successively replaced by *acteurs* and *personnages.* Molière uses both of the latter terms.

2. **Harpagon,** from the Latin *harpago,* "grappling hook." The word is found in Plautus' *Trinummus,* II, 1. It is probable, however, that Molière borrowed it from the supplement to the same author's *Aulularia* by Codrus Urceus.

3. **amant, amoureux.** The former is an accepted lover, the latter is not.

4. **Frosine,** originally *Euphrosyne.* Women of the intriguing kind (*femmes d'intrigue*) like Frosine, are frequently found in French comedies of the sixteenth and the early part of the seventeenth century.

5. **Maître,** a title formerly applied to merchants, agents, principal servants, and the like.

6. **La Flèche** (arrow), **Brindavoine** (oatstalk), and **La Merluche** (stock-fish) — significant names to designate respectively a limping valet and haggard servants.

7. **Dame,** a title then given to women of inferior rank.

8. **Commissaire.** Such officers bore the title of *commissaires examinateurs.* One of their duties was to capture and examine thieves and murderers.

ACT I. SCENE 1.

Page 3. — 1. **foi** = *fidélité, amour.*

2. **Est-ce du regret,** *is it from regret, do you regret.* The use of the article is due to the qualification of *regret* by *de m'avoir fait heureux.*

3. **engagement.** Not an oral but a written promise of marriage

signed by both parties (see page 128, line 5). A written engagement was binding before the law but could be annulled on fulfillment of certain conditions imposed by the ecclesiastic judge.

4. **où** = *auquel.* Molière generally avoids *lequel, laquelle* etc. preceded by a preposition.

5. **tout,** *anything.*

6. **fussent.** The use of the imperfect subjunctive after a principal tense is justified by the sense of *je n'ai pas la force de souhaiter = je ne souhaiterais pas.*

7. **à vous dire vrai.** Cf. page 64, line 18 and page 81, line 13 where the article is used with *vrai.*

8. **succès,** *issue, outcome.* Often used in the seventeenth century in the sense of *résultat bon* or *mauvais.*

9. **dans,** i.e. *from.* — **Bontés.** The plural has reference to the single instances or acts of kindness shown to Valère.

Page 4. — 1. **ceux de votre sexe.** This use of *ceux (de)*, when not referring to a preceding noun was formerly quite common and is occasionally met with even now, especially in familiar style. Cf. Haase, *Syntaxe*, § 25.

2. **une . . . amour.** Molière uses both *un amour* and *une amour.* Cf. page 5, line 2.

3. **ce tort** = *le tort.* The use of *ce* instead of the definite article before a noun followed by *de* and an infinitive is rare now.

4. **ce n'est . . . actions.** Molière uses both *c'est* and *ce sont.* Cf. page 21, line 10. In written French *ce sont* is now generally used instead of *c'est* when the following noun is in the plural. *C'est* still survives chiefly in popular language.

5. **les seules actions** = *les actions seules.* In the seventeenth century a number of adjectives, as *seul, même* etc., were placed indifferently before or after their nouns.

6. **attendez à juger.** The preposition *à* was then commonly used before an infinitive where we now use *pour* to denote purpose.

7. **me,** *against me.*

Page 5. — 1. **retrancher** has here the unusual meaning of *borner.*

2. **dont** for *avec lesquels,* or *par lesquels.*

3. **aux choses,** now *dans les choses.*

4. **appuyé . . . reconnaissance,** freely *aided by the feeling of gratitude.*

5. **étonnant,** here and often in the seventeenth century = *effrayant,* "frightful," "terrible"—not "astonishing," "surprising," etc., as in modern French. The stronger meanings are more nearly related in sense to the supposed popular Latin form *extonare,* "to thunder forth," from which *étonner* is derived.

6. **commença de.** After *commencer,* the tendency in modern French is to use the preposition *à* before an infinitive.

7. **faire éclater,** here *to show, manifest; éclater = paraître* or *voir,* here.

8. **fortune,** *station, rank.*

9. **domestique,** here *household-officer, steward.* Any person attached to a great house (Latin *domus*) was called *domestique* and therefore the word was not necessarily equivalent to servant in our sense. There were many *domestiques* (often noblemen) who lived on a footing of equality with the members of the family — they were properly guests whose presence honored the household of a great lord; in other cases they served in the capacity of secretary or steward. For Valère's office cf. page 76, line 15.

10. **me justifier.** In modern French *justifier quelque chose auprès de* (to, in the eyes of) or *aux yeux de quelqu'un* is used instead of *justifier quelque chose à quelqu'un,* as above.

Page 6. — 1. **De tout . . . prétends.** The *Grands Ecrivains* edition paraphrases as follows: "De tout ce que vous avez dit, il n'y a que mon amour par quoi je prétends, etc."

2. **en** = *de lui.*

3. **en,** i.e. *des nouvelles.*

4. **comme** in the sense of *comment.*

5. **donner dans,** *to take up, to fall in with.*

6. **encenser . . . applaudir.** In modern French the prepositions *de, à* and *en* are usually repeated before every noun, pronoun or infinitive governed by them.

Page 7. — 1. **jouer,** to deceive and make a fool of at the same time. — **a beau être,** *may be ever so.*

2. **toujours.** The exceptional position of the adverb between the subject and the verb is evidently intended for emphasis.

3. **impertinent,** here *foolish, silly.*

4. **assaisonne en,** more generally *assaisonner de.*

5. **faire un métier,** "to carry on a business or trade;" fig., *to play a part.*

6. **que ne,** *why not.* — A question of appeal. — **Tâcher à,** now usually *de* before an infinitive. Molière uses both *tâcher de* and *tâcher à.* Cf. page 27, line 7 and page 114, line 12.

7. **s'avisât.** The use of the imperfect subjunctive is regular here, since in sense it represents a conditional.

8. **et** = *car.* Cf. page 31, 7; 32, 18; 45, 15; 49, 18; 55, 6; 92, 15; 132, 14.

9. **d'accommoder les deux confidences ensemble.** *Confidence* is now obsolete in the sense of *confiance* as used here. (*Confidence* = *communication d'un secret; confiance* = *disposition à se fier à quelq'un*). — Valère means to say that it is difficult to be the confidant of both father and son or to gain the full confidence of both.

10. **agissez auprès de votre frère,** *plead* (or *try your utmost*) *with your brother.*

11. **amitié,** here *affection.* — **Jeter,** now rather *mettre.*

12. **temps** = *occasion.*

13. **Je . . . confidence.** Because Élise fears the reproaches of her brother Cléante.

ACT I. SCENE 2.

Page 8. — 1. **ouïr;** we should now say *écouter.*

2. **Bien.** Under stress of emotion *bien* is used rather than *beaucoup.*

3. **avant que d'aller.** Molière uses *avant que, avant que de* and *avant de* before an infinitive. Modern French prefers *avant de.*

"Avant que nous lier, il faut nous mieux connaître." *Misanthrope,* I, 2. "Je les conjure de tout mon coeur de ne point condamner les choses avant que de les voir." — *Préface de Tartuffe.*

4. **voeux,** *affection, love.*

5. **en . . . croire.** The *en* may be explained as referring vaguely to the subject under consideration.

Page 9. — 1. **fâcheux,** *terrible, dangerous.*

2. **me point faire.** When a negative infinitive governs a conjunctive personal pronoun, the particles *pas* or *point* may stand

between the pronoun and the infinitive. Generally however the pronoun immediately precedes the infinitive.

3. **du moins** = *au moins*. Cf. page 24, line 5. Modern French prefers *au moins* in the sense of "not under," "not less than" before words denoting number or quantity, as *au moins mille écus*.

Page 10. — 1. **me dites.** The second of two positive imperatives connected by *et*, *ou* or *mais* was generally preceded by the pronoun depending upon it.

2. **donner,** *to inspire*.

3. **que je la vis.** In modern French *où*, in the sense of "when," has largely replaced the adverbial pronoun *que;* although expressions like *au temps que*, *dans le temps que*, *au moment que* continue to be used.

4. **bonne femme de mère,** here, *old* or *aged mother.* — *Bonne femme*, vieille femme, répond à *bonhomme*, vieillard; ils sont employés l'un et l'autre sans aucune arrière-pensée trop familière ou dédaigneuse. (Livet, *Lexique*).

5. **un . . . charmant.** In the seventeenth century we frequently find that a superlative follows and modifies a noun preceded by the indefinite article.

6. **en,** now *dans*.

7. **toute engageante.** In present usage *tout* is invariable here. — But cf. Clédat, *Grammaire Raisonnée de la Langue Française*, page 161.

8. **J'en vois,** *en* = *d'elle.* — Lavigne refers *en* to *qualités* or *vertus* understood. The former explanation seems preferable on account of the sentence immediately preceding.

9. **aimez**; modern French would generally prefer the subjunctive.

10. **accommodé.** In the sixteenth, seventeenth and eighteenth centuries this word was used in the sense of *riche*, *aisé*.

11. **discrète conduite,** "judicious" or "careful way of living (management)."

Page 11. — 1. **ce . . . fortune.** The sentence is made emphatic by this order of words in which *ce* is the grammatical subject and *que* introduces the logical subject. — **Ce peut être,** *it would be.* — **Relever la fortune,** *to better the lot, to improve the condition.*

2. **déplaisir,** here *sorrow, vexation.*

3. **faire éclater.** Cf. note to page 5, line 7.

4. **sécheresse,** lit. "dryness;" here, *manque d'argent, embarrassment,* "scantiness." In this sense the word is obsolete.

5. **s'engager** = *s'endetter.*

6. **avoir moyen** for *avoir le moyen* or *les moyens.* Molière frequently omits the definite article where it would now be required.

7. **pour m'aider** = *pour que vous m'aidiez.*

8. **et qu'il . . . s'oppose,** *and if our father is opposed.* — *Que* is often used to avoid the repetition of *si.* — **Falloir** has here the uncommon meaning of "to happen."

Cf. "Et s'il faut, par hasard, qu'un ami vous trahisse." *Le Misanthrope* I, 1.

9. **là,** used here for emphasis; omit in translation.

ACT I. SCENE 3.

Page 12. — 1. **Hors d'ici . . . moi,** etc. This scene is a combination of the *Aulularia*[1] I, 1 and IV, 4. — **tout à l'heure,** obsolete in the sense of *aussitôt, tout de suite,* "immediately," "at once."

2. **on,** instead of *tu,* a very offensive mode of address.

3. **maître juré filou,** *you arch-thief, arrant thief.* A master of a guild or corporation of artisans was one who had the right of practicing his trade on his own account. The *maîtres jurés* (lit., "sworn masters") or simply *jurés* formed a council, called *jurande,* which governed the corporation. From the idea of first, foremost, greatest (in rank or skill) contained in *maître juré* we readily get the figured meaning of this and similar expressions as *maître juré poète,* etc.

4. **sauf correction** (also *sous correction*), *under correction.* — La Flèche wants to excuse himself for using the word *Diable.*

5. **vieillard . . . corps.** Cf. *Aulularia,* line 642.

6. **Tu murmures . . . dents.** Cf. *Aulularia,* line 52.

7. **Pourquoi . . . raisons.** Cf. *Aulularia,* lines 44, 45.

Page 13. — 1. **à demander,** for *de demander.* — In modern French, *c'est à toi à demander,* would mean "it is your turn to ask," whereas Molière means "it is for you, it becomes you," etc.

2. **que . . . assomme.** *Que* in the sense of *afin que, pour que,* requires the subjunctive.

---

[1] The *Aulularia,* by Plautus. Edition Gœtz & Schœll, Leipzig, 1893.

3. **va-t-en.** Molière often uses *s'en aller* followed by an infinitive, where modern French generally prefers *aller*.

Cf. "Le jour s'en va paraître." *École des Femmes*, V, 1.

"Et je m'en vais être homme à la barbe des gens." *Femmes Savantes*, II, 9.

4. **faites sentinelle,** etc. Cf. *Aulularia*, lines 72, 73.

Page 14. — 1. **Ne . . . mouchards,** *I wonder if this fellow is not one of those spies*, or *this must be one of those spies*. — **Ne voilà pas** denotes surprise; **mes** expresses contempt; **de** depends upon some word understood as *un*.

2. **Je tremble,** etc., and **Je vois bien,** etc., page 20, line 12. Cf. *Les Esprits*, II, 3.

3. **Je te baillerai de ce raisonnement-ci.** *Bailler*, obsolete for *donner; de ce raisonnement-ci*, "this kind of an argument;" **de,** cf. page 14, note 1.

4. **Ne m'emportes-tu rien,** etc. Cf. *Aulularia*, line 640 *ff*.

5. **ça** is used in familiar style for *ici*.

Page 15. — 1. Stage-directions: "Harpagon, montrant les hauts-de-chausses de La Flèche." (Edition of 1734.)

2. **hauts-de-chausses,** *breeches* (at that time very wide and reaching from the waist to the knees). — The stage-direction preceding this line refers to the lower part of the *hauts-de-chausses*.

3. **je voudrais . . . quelqu'un.** Commentators differ as to the interpretation of *en* in this sentence. Some translate "for wearing them," others "for inventing them." There is even a third interpretation, viz. "that a pair of them (*en*, i.e. breeches) had been hanged," where *quelqu'un* is made to refer to *hauts-de-chausses*. Considering Harpagon's state of mind, everything seems possible. Does he not imagine that La Flèche has more than two hands?

Page 16. — 1. **que vous fouillez.** The sense seems to be improved by taking *fouillez* = *fouilliez*, i.e. "that you may search." The *i* following liquid *l's* in the subjunctive was formerly often omitted in print. (Desfeuilles.)

2. **avaricieux** — "avare marque mieux la passion permanente de l'avarice, et *avaricieux* marque seulement cette passion se manifestant par des actes isolés, mais caractéristiques." (Bourguignon et Bergerol, *Dict. des Synonymes*.)

3. **Et qui . . . ladres.** La Flèche, in order to avoid mentioning names, answers as if Harpagon's question had been *et que*.

Page 17. — 1. **je parle à mon bonnet,** i.e. *je parle à moi-même.*

2. **barrette,** a kind of flat cap. *Parler à la barrette de quelqu'un,* to talk to a person without weighing one's words; to treat him rudely; to box his ears. — The stronger meanings probably arose from the idea of knocking off a person's cap.

Page 18. — 1. **Qui . . . mouche** (vulg.). — We now say *qui se sent morveux se mouche,* "let whoever the cap fits wear it."

2. **justaucorps** (*juste-au-corps*): "Ancien vêtement à manches qui serrait la taille et descendait jusqu'aux genoux."

3. **sans te fouiller** = *sans que je te fouille.* Cf. *Aulularia,* line 651.

Page 19. — 1. **ce chien de boiteux-là,** *that limping dog.* — It so happened that Louis Béjart, Molière's brother-in-law, who played this part, was lame.

ACT I. SCENE 4.

2. **fait,** *money.* According to Livet this word is still used in the sense of *bien, fortune,* in several provinces of France as Anjou, Berry, Normandy and Poitou.

3. **cache** (fam.). *Cachette* is now generally used.

4. **si j'aurai bien fait d'avoir enterré,** instead of *si j'ai bien fait d'enterrer,* views the outcome of Harpagon's action with greater uncertainty.

5. **écus.** The silver *écu* was worth three *livres* or *francs,* that of gold ten *livres.* The coining of the latter had been forbidden by a royal edict in 1655.

6. **est.** Here the subject is regarded as a unit, hence the verb is in the singular. According to another explanation the singular verb agrees with the predicate noun to which special attention is thus called.

7. **s'entretenants.** The present participle, unless used adjectively, is now invariable.

Page 20. — 1. **Là . . .,** *well, you know what.*

2. **Si fait,** *yes, you have.*

3. **Pardonnez-moi,** here, *I beg your pardon, but we have not.* Instead of flatly contradicting her father, Élise shows her respect by using the polite *pardonnez-moi.* The expression is still used

whenever one wishes to deny or contradict a statement in a polite manner.

4. **en.** Present usage is *s'entretenir avec soi-même.*

5. **qui,** supply *celui* before this word.

Page 21. — 1. **feindre à** = *hésiter à.* Molière uses both *feindre à . . .,* and *feindre de . . .* in this sense.

2. **bon besoin,** now generally *bien besoin* or *grand besoin.*

3. **m'accommoderait fort,** *would make me very comfortable. Accommoder* is here equivalent to *enrichir.* Cf. page 10, note 10.

Page 22. — 1. **misérable,** *hard.* After *se plaindre que* the indicative was frequently used in the seventeenth century and may also be found in modern French.

2. **en . . . menti,** i.e. *about the matter in question,* or *by making that assertion.*

3. **cela est étrange.** With a predicate adjective followed by an infinitive with *de* or a clause introduced by *que, cela* was sometimes used as the subject of *être* in the sense of *ce* or *il.* Cf. *Cela serait injuste de vous tuer* (Pascal, *Pensées,* I, 100). *Cela serait beau qu'ils ne l'eussent pas fait* (Boileau, *Les Héros de Romans*). Cf. Haase, *Syntaxe,* § 20, B. In most of these cases *cela* seems to have an emphatic force.

4. **on . . . gorge.** Modern usage requires *on viendra chez moi me couper la gorge.* Some commentators think that the irregular construction depicts Harpagon's fear.

5. **cousu de pistoles,** *made* (lit. *sewed*) *of gold.* There were Spanish and Italian gold pistoles. In value they were equivalent to a *louis d'or* which at that time was worth eleven livres or francs. — *On appelle un homme tout cousu de pistoles, celui qui en a beaucoup, par allusion à la manière des avares, qui cousent leur argent dans leurs habits, pour les mieux cacher et garder.* (Furetière, *Dict.*)

Page 23. — 1. **Quelle.** Now either *quelle* with *dépense* repeated, or *laquelle.* Cf. *La Belle Plaideuse,* I, 8.

2. **équipage,** here *costume, attire.*

3. **constitution.** Obsolete for *constitution de rente* (*rentes*), "annuity." — *Faire une bonne constitution,* "to furnish a fine annuity," "to make a fine investment." This refers to the practice according to which the capitalist made the borrower pay an annuity instead

of interest. Usurers were thus enabled to get a higher rate of interest than the law allowed. — The contract was called *contrat de constitution* (*de rente*), or *constitution de rente.* — *Le contrat de constitution de rente était un contrat par lequel celui qui empruntait de l'argent vendait et constituait sur lui une rente au profit de celui qui lui prêtait, laquelle rente était rachetable moyennant la restitution de ce qu'on appelait le "sort principal," c'est-à-dire la somme qui avait été prêtée.* (Paringault, *La Langue du Droit dans le Théâtre de Molière*, page 351.)

4. **manières,** *doings.* — **vous donnez furieusement dans le marquis,** *you have a furious mania for aping a marquis.* Adverbs like *furieusement*, *terriblement*, *tendrement*, *fortement* etc. were much in favor with the *Précieuses.* Molière ridiculed their affected speech (cf. *Les Précieuses ridicules*), but even he could not wholly free himself from it. — **le marquis.** In a number of Molière's comedies the marquis was made the butt of the author's ridicule. Indeed Molière's attacks produced such a lasting effect that when Napoleor wished to restore the ancient titles of nobility he stopped short at the marquis. Cf. Sainte-Beuve, *Portraits litt.*, II, 61 f.

5. **état** = *tenue*, *parure*, "dress, attire, finery."

6. **au jeu.** Harpagon does not object to his son's gambling, provided he comes out ahead.

7. **honnête,** *fair.* We shall see hereafter (act II, scene 1) that Harpagon's idea of *honnête* corresponds exactly to what other people would call *malhonnête.*

8. **rubans.** At the time when Molière wrote *L'Avare* gentlemen of fashion used to wear an abundance of ribbons on their shoulders, sword, breeches etc. This fashion did not continue very long after 1668.

Page 24. — 1. **aiguillettes,** tagged laces used to fasten the breeches to the doublet. According to Richelet an **aiguillette** or **eguillette** was a cord or lace, tagged at both ends and serving an ornamental or useful purpose. Gentlemen who made the least pretense to fashion either covered up or replaced the *aiguillettes* by means of ribbons. At the time of Molière only a few old men seem to have worn the simple *aiguillettes.*

2. **perruques.** Wigs came into general use in France about 1660.

3. **au denier douze.** This expression is equivalent to *un denier*

pour chaque douze prêtés, "one denier for each twelve lent," *i.e.*, $8\frac{1}{3}$ per cent. Similarly 5 per cent would be expressed by *au denier vingt*, etc. These examples illustrate the custom of reckoning interest at that time. We now say *5 pour 100*, *10 pour 100*, etc. In 1665 the legal rate of interest had been fixed at 5 per cent. 12 deniers = 1 sou; 20 sous = 1 livre; 11 livres = 1 pistole. Harpagon's figures are correct.

4. **Nous marchandons . . . à qui,** *we hesitate . . .* (*as to*) *who*.

Page 25. — 1. **façon que.** *Que* here = *dont*.

2. **par un bout,** *at one end.* Harpagon thinks of himself; he wants to settle his own marriage first, after which he will decide in regard to Cléante and Élise — the other end.

Page 26. — 1. **(toute) honnête,** *modest, ladylike.* For *toute* cf. page 10, note 7.

2. **air . . . manière.** Both words refer to the outer appearance of a person; *air* seems to express a more general idea — *manière* a more particular one. (Lavigne.)

3. **faire un bon ménage,** here = *être une bonne ménagère*, "to be a good housekeeper." *Faire bon* (*mauvais*) *ménage* generally means "to live happily (unhappily) together."

4. **avoir satisfaction,** *to be satisfied* or *happy*.

Page 27. — 1. **prétendre** = *réclamer, exiger comme un droit.* In this sense *prétendre à* is now generally used.

2. **considérable** = *à considérer* (to be considered), *digne de considération.*

3. **Pardonnez-moi,** i.e. "yes, it is to be considered." Cf. page 20, note 3.

4. **y** = *avec* or *chez elle* — or "in this marriage." Cf. page 6, note 2.

5. **autre chose.** We may surmise that Harpagon hopes to make up for Mariane's small dowry by marrying his children off without any marriage-portion. — According to another interpretation *autre chose* would refer to Mariane's economic ways.

6. **sentiment,** here = *avis, opinion.*

7. **résolu de** — now rather *à* before a following infinitive. — **Cf.** Quinault, *La Mère coquette*, V, 4.

Page 28. — 1. **Voilà . . . flouets.** — *De mes* may be translated by "one of your." Cf. page 14, line 1. — **Flouet** now *fluet* which see.

2. **qui . . . poules,** *who are just as weak as chickens* (*ne . . . non plus* implying that neither fops nor chickens have any vigor). — If the sentence read *n'ont pas plus de vigueur,* etc., the meaning would be that "fops have no more vigor than chickens" (*ne . . . pas plus* implying that chickens have some vigor). Cf. Littré, *Dict., plus* 30°. — Others take *ne . . . non plus* = *ne . . . pas plus.*

3. **toi.** Observe the change of address in this passage.

4. **Seigneur.** A title generally given to noblemen. In familiar style it was sometimes used for *Monsieur* especially when referring to strangers. It was also used ironically. — In a note to Racine's *Iphigénie* (I, 1) Lavigne explains the origin of the use of *Seigneur* in tragedy and comedy. The last part of his note reads:

> "*Seigneur* fut suggéré par l'usage des langues italienne et espagnole . . . c'est l'italien *signore* . . . et l'espagnol *señor,* qu'on trouvait sans cesse dans les comédies qu'on traduisait ou imitait sur notre théâtre depuis le commencement du siècle."

5. **Ma mie.** In the oldest language we find 'ma, ta, sa' instead of the masculine forms 'mon, ton, son' before feminine nouns beginning with a vowel. The former with the *a* elided gave *m'amie* of which *ma mie* is a corrupted form.

Page 29. — 1. **très humble servante au Seigneur** — now rather *la très humble servante du Seigneur.* The preposition 'à,' standing between two nouns, and denoting possession was rarely so used even in the seventeenth century. This usage has survived in popular language. Cf. *la petite Marie à la Guillette.* George Sand, *La Mare au Diable.*

Page 31. — 1. **Voilà qui est fait,** *agreed.*

ACT I. SCENE 5.

2. **élu,** here = *choisi,* now generally, "to elect by a majority of votes or unanimously." Perhaps Molière chose the word intentionally in order to give greater weight and solemnity to the occasion.

3. **qui . . . moi** = *qui* (more often *lequel*) supply "de nous a raison, ma fille ou moi." *De ma fille* and *de moi* are attracted into the case of *de nous* understood.

4. **toute raison,** *reason itself.* Cf. page 10, note 7.

Page 32. — 1. **vous ne pouvez . . . raison,** *you must be right, you cannot help being right. Pouvoir* is frequently found in the seventeenth century as a personal verb (and if negative more often without *pas*), where in modern French it would generally be impersonal and reflexive, here *il ne se peut pas que vous n'ayez raison.* Cf. Littré, *pouvoir* 2°.

2. **aussi** = *non plus.* This usage continued quite general during the seventeenth century.

3. **considérable.** Cf. page 27, note 2.

4. **noble.** It seems more natural to refer this adjective to the character of Anselme than to his rank, since *gentilhomme* without any further epithet always implied real nobility. If, however, *noble* is taken as referring to rank, Harpagon means to make a distinction between real and false nobility. Cf. page 132, lines 5, 6.

5. **mieux rencontrer,** "to find a better match," *to do better.*

6. **aux cheveux,** *by the forelock.*

"Les anciens représentaient *l'occasion* sous la forme d'une femme chauve par derrière, n'ayant qu'une tresse de cheveux sur le devant de la tête : si on ne la saisit pas dès qu'elle se présente et qu'on la laisse passer, on ne trouve plus de prise pour la retenir." (Lavigne.) — Cf. also Rabelais, *Gargantua*, I, c. 37 : "Car l'occasion a tous ses cheveux au front : quand elle est oultre (= outre) passée, vous ne la pouvez plus revocquer ; elle est chauve par le derriere de la teste, et jamais plus ne retourne."

7. **sans dot.** The repetition of these words recalls other and equally felicitous expressions in the comedies of Molière, as Alceste's "je ne dis pas cela" *Le Misanthrope*, I, 2; Orgon's "le pauvre homme" *Tartuffe*, I, 4; Géronte's "que diable allait-il faire dans cette galère" *Fourberies de Scapin*, II, 7. Cf. *Aulularia*, lines 191, 238, 256, 257, 258.

Page 33. — 1. **il se faut rendre,** now *il faut se rendre.*

2. **recevoir,** here = *souffrir*, "to admit (of)."

3. **votre fille,** etc. Being compelled by circumstances to side with Harpagon, Valère can do nothing but urge his objections indirectly.

Page 34. — 1. **là contre** = *contre cela.*

2. **Ce n'est . . . ait.** "(I do) not (mean to say) but that there are." — The negation in a sentence depending on *ce n'est pas que* or *non que* is expressed by *ne* (without *pas*). — (Braunholtz).

3. **ménager la satisfaction,** *to have regard for the happiness.*

4. **argent.** We must suppose that Harpagon is talking to himself for he fears nothing more than that the hiding-place of his money may be discovered.

5. **pour en venir mieux à bout.** *En* refers to Harpagon.

6. **de certains esprits.** With *certain* before a plural noun the partitive *de* is now generally omitted.

7. **qu'il . . . biaisant,** *that one cannot deal with except by having recourse to indirect means.*

8. **tourner,** v.n. =*faire des détours,* "to take round-about ways."

Page 35. — 1. **en,** *by this means.*

2. **rompre,** *to prevent.*

3. **Il . . . maladie.** Cf. the advice of Dorine to Mariane in *Tartuffe*, II, 4:

> "Tantôt vous payerez de quelque maladie,
> Qui viendra tout à coup, et voudra des délais."

4. **Y connaissent-ils quelque chose.** Molière frequently ridiculed the doctors of his time, as they were characterized by pedantry, ignorance and conceit.

5. **quel mal . . . plaira,** *any illness you please.* — *Quel* here for *quelque . . . que.* In modern French the use of *quel* is limited to exclamatory phrases and interrogative questions. We should now say *tel mal qu'il vous plaira*, or *le mal qu'il vous plaira.*

Page 36. — 1. **comme . . . fait,** *what a husband looks like.* Cf. page 6, note 4.

2. **tout ce que,** here *any husband.* — *Ce qui* and *ce que* were often used even into the following century for *celui* (*celle*) *qui*, *celui* (*celle*) *que.*

Cf. "C'est peu de voir un père épouser *ce que* j'aime." Racine, *Mithridate*, II, 660. — "Deux personnes ont eu cette joie si rare de se marier à *ce qu*'ils aimaient." La Bruyère, *Les Caractères*, I, 197.

3. **fuir.** — Elise is about to withdraw in order to conceal her laughter which she can no longer restrain.

Page 37. — 1. In the edition of 1734 the stage-direction reads: Valère, *adressant la parole à Élise, en s'en allant du côté par où elle est sortie.*

2. **honnête homme de père,** *worthy* or *respectable father.*

3. **s'offre de prendre.** Obsolete for *s'offre à prendre.*

ACT II. SCENE I.

Page 38. — 1. **où . . . fourrer,** for *où es-tu donc allé te fourrer?* where in the world have you been?" Cf. page 22, note 4.

2. **chassé dehors malgré moi;** *dehors* seems superfluous and *malgré moi* is naïve. (Desfeuilles.)

Page 39. — 1. **bâtis comme lui,** *like him, of his stamp* or *make-up.* Cf. our 'of his build.'

2. **fesse-mathieu,** *skin-flint, usurer.* According to Hatzfeld, Darmesteter & Thomas (*Dictionnaire général*), *fesse-mathieu* is a compound of *fesse* (from *fesser,* "to whip," etc., fig., as here "to outdo," "get the better of") and *Mathieu,* "Matthew." — Saint Matthew is supposed to have practiced usury before his conversion. — The Academy defines the expression as follows: 'On appelle aussi *fesse-mathieu* un homme qui prête à gros intérêts, et qu'on ne veut pas nommer ouvertement usurier.' — For other interpretations see Littré, etc. Cf. also St. Matthew, IX, 9 and X, 3.

3. **L'affaire ne se fera point?** etc. Cf. *La Belle Plaideuse,* I, 4.

4. **pardonnez-moi.** Cf. page 20, note 3.

5. **donné,** here recommended.

Page 40. — 1. **on,** i.e. *maître Simon.*

2. **pour être instruit,** now *pour qu'il soit instruit.*

Page 41. — 1. **par-devant,** a law term meaning "before, in the presence of." — Cf. *ledit,* page 41, line 12.

2. **qu'il se pourra,** *that can be found.*

3. **ne . . . que,** i.e. "at no more than," etc.

4. **denier dix-huit.** Cf. page 24, note 3.

5. **l'emprunter d'un autre.** Of course a mere pretence. Notice how the appearance of honesty is given to the worst kind of usury by expressions like *le plus honnête homme qu'il se pourra* (page 41, line 2) *pour ne charger sa conscience d'aucun scrupule* (page 41, lines 6 and 7), *de bonne foi* (page 42, line 10), *rabaissé . . . par la discrétion du prêteur* (page 44, lines 5 and 6).

6. **pied,** *rate* (*of interest*).

7. **sans préjudice du reste,** *in addition to the rest* (i.e. in addition to the $5\frac{5}{9}\%$ spoken of in line 8).

8. **Arabe,** here *miser, usurer.*

9. **Vous . . . là-dessus,** "you will have to see to that," "that is for you to decide." This phrase is now obsolete.

Page 42. — 1. **Des quinze mille francs,** etc. Cf. *La Belle Plaideuse*, IV, 2.

2. **hardes,** *clothes,* — **nippes** (fam. style), *fine linen.* The *mémoire* following does not contain any *hardes, nippes* or *bijoux.*

3. **de quatre pieds,** *four feet wide.* The full expression would be *large de quatre pieds.*

4. **à bandes de points de Hongrie,** *with bands of Hungary embroidery.* That the *point de Hongrie* was not lace appears from the following definition taken from the dictionary of Furetière:

Point de Hongrie, une sorte de tapisserie (tapistry, embroidery) faite par ondes (in the form of waves) et qui est fort en usage parmi les femmes ménagères (housewives) pour faire des ameublements.

5. **appliquées proprement,** *neatly sewed on.*

6. **la courte-pointe de même,** *the counterpane to match* (i.e. the point de Hongrie).

7. **petit,** *thin.*

8. **changeant,** *shot.* Cf. *étoffe changeante,* dont la couleur change suivant le jour (light) sous lequel on la regarde.

9. **un pavillon à queue.** The *pavillon* (now *couronne du lit*) was a kind of bed-canopy. It had the form of a tent and was fastened to the ceiling. Curtains formed its sides. **A queue** (lit. "with a train"), *with curtains reaching to the floor;* — **serge d'Aumale.** According to Livet "la plus pauvre des serges" — whence *bonne* for comic effect. Aumale is in the department of Seine-Inférieure.

10. **rose-sèche,** dried-rose color; — **avec le mollet et les franges de soie,** *with small and large fringes of silk.* Livet does not define the word in his *Lexique,* but in his notes to *L'Avare* he follows Furetière, according to whom *mollet* meant a small fringe. Lavigne thinks that in this passage *mollet* means a band or border forming the head-piece of the long fringes.

Page 43. — 1. **amours de Gombaut et de Macée,** i.e. "representing the loves," etc. — The tapestry hangings mentioned by Molière have acquired a certain celebrity. Jules Guiffrey has made a special study of the subject. Cf. his note in the *Grands Écrivains* series, *Molière,* t. VII, page 205 *f.*, where he says:

"La tenture de Gombaut et de Macée se composait de huit sujets ou panneaux représentant les principales scènes de la vie champêtre. Les jeux et les plaisirs des paysans font la matière des premiers tableaux; puis viennent les fiançailles, le festin de noce, et enfin la mort du héros de ce drame rustique.

Sur chaque panneau, des strophes, ... offrent le commentaire de la scène représentée."

A set of tapestry hangings containing nine pieces and representing the subject in question is preserved in the museum of Saint-Lô.

2. **se tirer,** *to pull out, draw out.*

3. **par le dessous,** now *au-dessous.*

4. **escabelle,** now seldom used. Its modern equivalent is *escabeau.*

5. **affaire.** *Avoir affaire de = avoir besoin de.*

6. **tout garnis.** *Tout* as we find it here accords with modern usage. Cf. page 10, note 7. In the seventeenth century the adverb *tout* was usually inflected like the adjective. Cf. page 70, line 11: "il faut ... tenir mes chevaux tous prêts pour conduire."

7. **fourchettes,** *rests.* — This refers to the practice of using a support for guns. The part on which the gun rested was in the shape of a fork, the other end was fixed in the ground. Without such props it was difficult to aim accurately on account of the weight of the guns. Both the heavy *mousquets* as well as the *fourchettes* were out of date at the time when *L'Avare* was written.

8. **curieux,** here *fond.*

9. **un luth de Bologne.** — "Le luth, venant de Bologne, venait du lieu où l'on employait le meilleur bois pour les fabriquer; il devait avoir neuf cordes." (*Livet.*)

10. **trou-madame.** A kind of game played with thirteen small balls, for which there are as many holes or grooves. If the ball falls into certain ones of these holes the player wins, if into others, he loses. See Littré, *Dictionnaire.*

11. **jeu de l'oie,** a game played with two dice on a board. At every ninth compartment a goose is depicted. For the game of goose as played in England cf. Joseph Strutt, *Sports and Pastimes of the People of England*, London 1838, page 336.

12. **renouvelé des Grecs,** "restored by the Greeks" or *which has come down to us from the Greeks.* According to Harpagon the value of the game is heightened by its antiquity.

13. **n'avoir que faire** = *n'avoir rien à faire.* Humbert explains the expression as follows: *N'avoir* (*rien*) *que* (*l'on puisse*) *faire*

Page 44. — 1. **une peau d'un lézard** — for the modern *une peau de lézard* or *la peau d'un lézard.* In the seventeenth century the indefinite article was often used where it would be omitted now.

2. **plancher** is used here in the sense of *plafond.*

3. **discrétion,** here = *modération.*

4. **traître,** here = *coquin.*

5. **Panurge,** an important character in Rabelais' famous work *Gargantua et Pantagruel* (1533–1552). The passage from which the words *prenant . . . herbe* (lines 18 and 19) are taken is found in the second chapter of the third book, in which Panurge's way of living is described. The chapter is entitled *Comment Panurge fut fait chastelain de Salmigondin en Dipsodie, et mangeoit son bled en herbe,* "How Panurge was made lord of Salmigondin in Dipsodie and ate his corn whilst it was but grass (*i.e.* he wasted his revenue before it came in)."

6. **le plus posé homme,** now *l'homme le plus posé.*

Page 45. — 1. **Je . . . patibulaires,** *I have no strong propensity for the gallows* or *I am not very strongly inclined* (*to commit a deed that might lead*) *to the gallows.* The article is used here as with words denoting parts of the body, e.g. *j'ai les mains blanches.*

2. **commerces,** (*questionable*) *affairs.*

3. **tirer son épingle du jeu.** This expression refers primarily to the "*jeu des épingles*" played by little girls. The game consists in getting pins out of a circular space by means of a ball which is thrown against the wall and which bounds back toward the space containing the pins. If the ball knocks out the stake of the player the latter "withdraws her pin from the game" (*retire son épingle du jeu*). See Littré, *épingle.* According to others the ball is thrown directly at the pins and a skilful throw entitles the player to withdraw her pin. From this we get the figurative meaning of *tirer son épingle du jeu,* "to get out of a scrape."

4. **galanteries,** *knavish* or *elegant tricks.*

5. **sentir l'échelle,** *to savor of the gallows.* — *Échelle,* "ladder (leading to the gallows)" — then "gibbet, gallows."

6. **action méritoire.** "Molière nous prépare ainsi au vol de la cassette, qui sera moins un vol que des représailles exercées contre Harpagon." (Lavigne.)

7. **que** = *afin que.*

ACT II. SCENE 2.

8. **en,** *in this matter.*

9. **périclliter.** The verb is used here transitively (now obsolete) in the sense of "to risk."

10. **en instruire à fond,** *to give full* or *complete information concerning those points* (en).

Page 46. — 1. **il s'obligera . . . mourra;** *s'obliger,* here "to bind oneself, to give a written agreement." There is nothing in Cléante's character that would lead us to suppose any such intention on his part. La Flèche and "maître Simon" either originate these words or misinterpret what Cléante may have said.

2. **être pour** (with infinitive) = *être fait pour, propre ou disposé à,* "to be such as to," "to be capable of" etc.

Page 47. — 1. **Comment pendard,** etc. Cf. *La Belle Plaideuse,* I, 8.

2. After **C'est toi,** the edition of 1734 has the following stage-directions: *Maître Simon s'enfuit, et La Flèche va se cacher.*

3. **sueurs,** here *labor, toil;* in this sense generally used in the plural.

4. **gloire,** *honor,* frequently so used in the seventeenth century.

Page 48. — 1. **échauffer les oreilles à quelqu'un,** *to provoke a person.*

ACT II. SCENE 3.

2. **Il . . . argent,** *I ought to go and pay a little visit to my money.*

ACT II. SCENE 4.

3. **hardes,** here *rubbish.* Cf. page 42, note 2.

Page 49. — 1. **m'entremettre d'affaires,** *to act as a go-between.*

2. **industrie** = *ruse.* Cf. *chevalier d'industrie,* "swindler."

3. **négoce** (*questionable, dishonorable*), *little business.* La Flèche shows his lack of respect by using *patron du logis* for *maître de la maison.*

Page 50. — 1. **point d'affaires,** *not a bit of it.*

2. **Il . . . aride.** Cf. *Aulularia,* line 297.

3. **pour qui.** In modern French *qui* following a preposition refers to persons only. When referring to things the proper form of *lequel* should be used.

4. **traire,** lit. "to milk"; here *to get something out of.*

5. **de m'ouvrir leur tendresse,** *of gaining their affection.*— (*Ouvrir,* to open — and thus gain access to — a person's heart.)

6. **Bagatelles,** *that's all nonsense.*

7. **Turc,** i.e. *hardhearted, pitiless.* — **turquerie,** a word coined by Molière.

8. **et l'on pourrait . . . branlerait pas,** *and one might starve, yet* (or *and*) *he would not stir.* — What is logically the principal clause is changed here into a concessive or consecutive clause introduced by *que.* Cf. *il pleuvrait des couronnes qu'aucune ne pourrait bien aller* ("fit") *à la tête de ma femme.* (Florian.)

9. **demandeur,** here *one who asks* (i.e. for money).

ACT II. SCENE 5.

10. **Tout va,** ff. Cf. Ariosto's *I Suppositi* (I, sc. 2).

Page 51. — 1. **Voilà bien de quoi** (sc. *se plaindre, se récrier*), *a great matter indeed!* (Ironical.)

2. **que je crois,** now *je crois. Que,* the accusative of the relative pronoun was formerly used in the expressions *que je crois, que je pense,* etc. = *c'est ce que je crois, pense,* etc. *Que je sache* is the only survival of this usage in the literary language of to-day. Cf.

"Parbleu! vous êtes fou, mon frère, *que* je crois." *Tartuffe,* I, 5, 311.

"Thétys l'a, *que* je pense, ou doit l'avoir pareille." La Fontaine, *Clymène,* 609.

Cf. Haase, *Syntaxe,* § 35, c.

3. **jusques,** for *jusque,* now rarely found in prose, and only before vowels.

Page 52. — 1. **Tenez-vous un peu,** *hold up your head a little,* or *just straighten up.*

2. **que voilà bien là,** *how clearly there appears, how plainly I see there.* According to the laws of chiromancy, the line between the thumb and index-finger which runs round a part of the former was considered a sign of life. (Cf. lines 6 and 7.) A wrinkle between the eyes was supposed to indicate an amorous temperament. (Livet.) Chiromancy was greatly in vogue at the time when *L'Avare* was written.

3. **six-vingts** = *cent vingt.* This old way of counting by twenties is still seen in *quatre-vingts.* Cf. *les Quinze-Vingts* or *l'hôpital des Quinze-Vingts*, a hospital in Paris for 300 blind men.

Page 53. — 1. **mêler** = *me mêler.* With a reflexive verb depending on *faire, voir, laisser,* etc., the reflexive pronoun was frequently omitted in the seventeenth century. Cf. Livet, *Lexique,* III, page 393. — Modern French generally expresses the reflexive pronoun before an infinitive, but cf. *faire taire, faire souvenir,* etc.

2. **Turc . . . Venise.** The Turcs and the Republic of Venice had often been at war with each other, and the very year when *L'Avare* appeared a conflict was raging between them.

3. **j'ai commerce chez elles,** *I am on friendly terms with them.*

4. **à la voir,** for *en la voyant.*

5. **régale.** The present spelling is *régal.*

6. **dîné, soupé.** Now generally replaced by the infinitives *dîner* and *souper,* used substantively. In Paris and other large cities in France dinner was formerly taken at noon — now usually at about seven o'clock in the evening. According to present usage the word *souper* is restricted to a late meal as *e.g.* after theater or dancing parties.

7. **faire son compte (de)** = *se proposer,* "to intend."

8. **foire.** According to Livet five large fairs were held in Paris every year. The most important of these were the *foire St. Germain* and the *foire St. Laurent.* The former lasted from the third of February until Palm-Sunday, the latter from the twenty-eighth of June until the twenty-ninth of September. Molière probably refers to the *foire St. Laurent,* since *L'Avare* was performed for the first time on the ninth of September 1668.

Page 54. — 1. **voilà justement son affaire,** *that will suit her exactly.*

2. **encore,** here *after all.*

3. **nourrie,** synonymous here with the following *élevée.* (Livet, *Lexique.*)

4. **grande épargne de bouche,** *strict economy, great frugality.*

5. **orges mondés,** *hulled barley.* A kind of soup or porridge made of hulled barley put into goat- or sweet almond-milk. Other ingredients might be added. Ladies were in the habit of taking it in order to keep their complexion fresh and to become fat.

6. **cela . . . bien,** *these items are not so small but that they amount to fully* ("*bien*").

7. **Outre cela,** etc. Cf. *Aulularia*, III, scene 5.

8. **curieuse (de),** here *to care for.* The word is now obsolete in this sense. Cf. page 43, line 13.

Page 55. — 1. **propreté** = *élégance.*

2. **donner dans,** *to indulge in, to be addicted to.* Cf. page 23, note 5.

3. **femmes d'aujourd'hui.** From the writings of Boileau, Mme de Sévigné, La Bruyère, Saint-Simon, Dancourt, Saint-Évremond, etc., it appears that women were then passionately fond of playing. Cf. also V. Fournel, *Les Contemporains de Molière*, III, page 286.

4. **trente-et-quarante,** "jeu de hasard qui se joue avec des cartes; c'est un jeu de banque; celui qui amène le plus près de trente gagne; à trente et un il gagne double; et à quarante il perd double." (Littré, *Dict.* s. v. *Trente*, 5°.)

5. **son dot,** now *sa dot.*

6. **toucher,** of money = *recevoir.*

Page 56. — 1. **entendu.** Modern French requires *entendue* here.

2. **n'aller pas,** now *ne pas aller*, unless the writer wishes to emphasize the expression. In the sixteenth and seventeenth centuries the prevailing usage was to place the infinitive between the two negative particles.

3. **prête d'être** for *près d'être, on the point of.*

4. **sur ce que,** *on the ground that, because.*

Page 57. — 1. **Céphales,** *Cephaluses.* Cephalus was beloved by Eos. Cf. Ovid, *Metam.* VII, 661–685.

2. **admirable,** here in the obsolete sense of *strange, surprising.*

3. **belles drogues,** *fine merchandise* (ironical). The cheap quality of drugs sold by charlatans caused the word *drogue* to be applied to any object of little value.

4. **morveux,** *brats.* Cf. page 18, note 1.

5. **pour donner envie de leur peau,** *i.e.*, that a girl should care for them, be smitten with them.

6. **je n'y en comprends point,** a concise expression meaning

"I do not understand how any one can find any charm in them" (*y* = *en eux; en*, i.e., *du ragoût*).

Page 58. — 1. **folle fieffée,** *perfectly* or *downright foolish woman.*

2. **blondins.** Blond hair was greatly in vogue because it was considered very beautiful. A gallant wearing a blond wig was called a *blondin.*

3. **poule laitée,** *milksop.* Desfeuilles' question contains a very plausible answer regarding the origin of the expression: "Qu'entendait-on originairement par une *poule laitée?* Une poule de chair délicate, comme les poules, les poulets qu'on nourrit en partie de lait?" *Poule laitée* became proverbial to designate a man who showed no vigor in his actions.

4. **barbe de chat,** *cat's whiskers.* Cf. Quicherat, *Histoire du Costume en France*, page 517.

5. **leurs hauts-de-chausses tout tombants,** etc., *their draggling trunk-hose, and their stomachs all unbraced.* (Moriarty.) Cf. page 15, note 2.

6. **cela,** i.e. *les jeunes gens.* (Contempt.)

7. **Comment** etc. Cf. Quinault, *La Mère coquette*, I, 4.

8. **il ne se peut pas mieux,** *you could not look any better*, or *nothing could be better.* Cf. *il se peut*, "it is possible."

9. **taillé,** *well-shaped.*

10. **fluxion** for *rhume*, "cold (in the chest); cough." Molière himself suffered from and finally died of a *fluxion*, and inasmuch as he played the part of Harpagon we have here another instance of his ingenuity in turning everything to good use, even his own infirmities. Cf. page 19, note 1.

Page 59. — 1. **Non.** Frosine's *non* is clever. She wants all the credit of the affair for herself.

2. **fraise à l'antique,** *old-fashioned ruff.* A high collar consisting of several layers of pleated linen. Worn especially in the sixteenth century, it began to go out of fashion in Molière's time.

3. **aiguillettes.** Cf. page 24, note 1. — **c'est pour,** *it is enough.* Cf. page 46, note 2.

Page 60. — 1. **dépêches,** *correspondence.*

Page 61. — 1. **dont je vous sollicite.** — "On dit également bien *solliciter quelqu'un de quelque chose,* — et *solliciter quelque chose de quelqu'un.*" (Lavigne.)

2. **Que . . . diables,** *may the fever seize you, you stingy dog, and send you to the devil.*

3. **l'autre côté,** *i.e.*, Mariane and her mother.

ACT III. SCENE I.

Page 62. — 1. **Je vous commets au soin.** Judging by his orders, Harpagon is fortifying himself all along the line so that he may not be taken unawares by the coming foe, *i.e.*, his guests.

2. **je vous . . . bouteilles,** *I put the bottles in your charge, I want you to look after the bottles.* — **s'écarte,** *disappears.*

Page 63. — 1. **les faire aviser** for *les faire s'aviser.* Cf. page 53, note 1.

2. **se ressouvenir** = *se souvenir.* For the position of *vous* cf. page 10, note 1.

3. **siquenille,** a corrupt form of *souquenille, smock-frock,* working-jacket or coat.

4. **garder,** for *se garder* or *prendre garde.*

5. **révérence parler,** *speaking with all due respect, saving your presence.*

6. **au-devant de,** for *devant.*

Page 64. — 1. **maîtresse,** *lady-love, intended.* — **vous doit venir,** for *doit venir vous.*

2. **histoire** = *affaire.*

3. **le train des enfants,** *how children act.* (*Train*, "way," "course.")

4. **régaler,** *welcome, receive.*

5. **tout,** adverb, used here to emphasize the superlative, — rarely so in modern French. Cf. Haase, *Syntaxe*, § 46, Rem. II.

6. **pour ce qui est de** = *quant à.*

Page 65. — 1. **Ho ça,** *now.*

Page 66. — 1. **nous feras-tu bonne chère,** *can you provide us a good supper?* (*Chère*, lit. "cheer.")

2. **épée de chevet,** a sword kept within reach, even during the night (*chevet*, "head of a bed"). Here fig. *constant theme, regular hobby.*

3. **vu,** here = *entendu.*

Page 67. — 1. **vous mêlez-vous,** *you are trying.*

2. **factoton,** obsolete for *factotum.*

3. **Haye,** an interjection used as a hunter's call when the dogs follow a wrong scent. Trans., *that's enough.*

4. **prendre,** *count on.*

Page 68. — 1. **assiettes.** In the edition of 1682 *d'entrées* was added after *assiettes.* (*Entrées,* dishes served between the soup and the roast, as fowl, game, etc.)

2. **Potages . . . Entrées . . . Rôt . . .** The enumeration of the soups, entrées and roasts was left to the actor. The edition of 1682, probably following the tradition of the stage, mentions the names of a great number of dishes *e.g.* after *potages* it gives *bisque, potage de perdrix aux choux verts, potage de santé, potage de canards aux navets* — and similarly after *Entrées* and *Rôt* when Harpagon bursts out with his *Que diable! voilà pour traiter toute une ville entière.* The edition quoted does not mention the *Entremets* evidently because *maître Jacques* is at once interrupted by Harpagon. For more ample information on this subject cf. Molière, *Grands Écrivains* series, vol. VII, page 127.

3. **Entremets,** dishes served after the roast and before the dessert, as eggs, salads, etc.

4. **mangeaille** — primarily food for fattening animals, then an abundance of food for human beings. — **Allez-vous en** for *allez.*

5. **les préceptes de la santé.** It is supposed that the precepts in question are those of the once celebrated medical school of Salerno:

> "Parce mero, coenatu parum, non sit tibi vanum
> Surgere post epulas . . ."
> (Praecept, I.)
>
> "Si tibi deficiant medici, medici tibi fiant
> Haec tria: mens hilaris, requies moderata, diaeta."
> (Praecept, II.)
>
> "Ex magna coena, stomacho fit maxima poena."
> (Praecept, VII.)

(Livet.)

Page 69. — 1. **viandes,** here in the sense of *vivres,* "victuals," "food."

2. **le dire d'un ancien.** Molière is supposed to have taken this maxim from a passage (III, page 126, édition Colombey) of Sorel's

La vraie histoire comique de Francion (1622), where a certain Hortensius quotes *Cicero* as saying *qu'il ne faut manger que pour vivre, non pas vivre pour manger.* The maxim, however, is not found in Cicero but in a pseudo-Ciceronian work viz. the *Autor ad Herennium*, IV, 28. According to Plutarch and Aulus Gellius the saying originated with Socrates. Cf. Molière, *Grands Écrivains* series, vol. VII, page 129.

3. **salle** (sc. *à manger*).

Page 70. — 1. **d'abord** = *tout de suite.*

2. **haricot** or *haricot de mouton*, "mutton stew."

3. **pâté en pot,** *pot-pie.* "Le pâté en pot était un composé de boeuf et de lard haché, etc." (Livet.) Harpagon could hardly have chosen dishes more satiating and at the same time more inexpensive than mutton stew, pot-pie and chestnuts — and yet this is what he calls good cheer for a feast in honor of his (possible) future son-in-law and Mariane, his sweetheart!

4. **ils sont sur la litière.** A play on words. Jacques means to say *ils sont sur la litière*, (fig.) "they are feeble and sick," but Harpagon might take the expression in its literal sense "they are lying on straw." Moriarty translates "I will not tell you that they are laid up — the poor beasts have nothing to be laid up on."

5. **façons,** *forms, skeletons, shadows.*

Page 71. — 1. **pour,** here = *parce que.*

2. **les pauvres animaux,** practically an exclamation — hence the omission of the preposition *à*.

3. **de travailler.** In modern French *il vaut mieux* does not require any preposition before a following infinitive.

4. **qu'il me semble** = *telle qu'il me semble, si grande qu'il me semble.*

5. **je m'ôte . . . de la bouche,** *for their sake I deprive myself of my own food.*

6. **je ferais conscience de,** *I should reproach myself for, I should scruple to.*

7. **en l'état.** Before a noun with the definite article modern French generally prefers *dans* to *en*.

8. **que** = *alors que.*

9. **obliger,** here = *porter quelqu'un à faire quelque chose, to induce, to engage.*

Page 72. — 1. **le nécessaire,** *the indispensable one.*

2. **que ce qu'il en fait,** *that all his doings, his entire conduct.*

3. **en dépit que j'en aie,** *in spite of myself.*

Page 73. — 1. **comme.** Cf. page 6, note 4.

2. **Monsieur,** etc. Cf. Ariosto, *I Suppositi*, II, 4.

3. **de vous tenir au cul et aux chausses,** a rather inelegant expression for "to get a good hold of you," "to criticise you in a pitiless manner," "to make fun of you."

4. **quatre-temps,** *ember-days.* So called (lit. "four seasons") because they consist of four yearly fasts, of three days each, observed by the Catholic church during each one of the seasons; the same church generally observes fasts on the vigils, *i.e.* the days preceding great church-festivals.

5. **monde,** *servants.*

6. **étrennes,** *New Year's gifts.* — The French custom is to make gifts at New Year's instead of at Christmas.

7. **leur sortie d'avec vous,** *when they leave your service.* — **D'avec vous** = *de chez vous.*

8. **assigner le chat,** etc. Cf. *Aulularia*, line 316 ff.

9. **dérober vous-même l'avoine.** This trait of Harpagon's character is said to be based on a real occurrence. The story resembling most closely that of Molière is related in the *Serées* by Bouchet (No. 31, *des Riches et des Avaricieux*, t. IV, 323, éd. Roybet), where the cardinal Angelot († 1444) steals the oats from his own horses, and is beaten by one of his stable-men. Cf. *Les Grands Écrivains*, t. VII, page 136.

10. **accommoder de toutes pièces** = *couvrir de ridicule.* — The original meaning of the expression is "to provide a knight with all the necessary parts of his armor."

Page 74. — 1. **Hé bien,** etc. In those times servants were often on familiar terms with their masters.

2. **de vous dire** = *en vous disant.*

ACT III. SCENE 2.

3. **Monsieur maître.** This excessive and unexpected politeness calls forth *maître Jacques*' rather short lived courage. Cf. *Monsieur*

le nouveau venu (line 7), *Monsieur le rieur* (line 15) and *Monsieur le fat* (page 75, line 15).

4. **filer doux,** "to be humble and submissive." The original meaning of the expression is "to spin carefully" (so as not to break the thread).

5. **frotter** = *battre,* "to thrash."

Page 75. — 1. **moi.** The omission of the preposition *à* before what is virtually a dative was frequent in Old French. This usage is rarely met with in the seventeenth century. Cf. *Il en sera ce qui plaira Dieu* (La Rochefoucauld, Lettr., III, 184). The omission of *à* makes *moi* more emphatic.

2. **Il n'y a . . . double,** *there is no Mr. master Jacques about here. Pas pour un double,* "not a cent's worth." The *double* was = two *deniers* (one-sixth of a sou). Maître Jacques means to say that Valère must not imagine for a moment that he can make up with him by his pretended politeness.

3. **fat.** The former meaning of this word was not "fop," as now, but "fool," and sometimes "rascal"—in the latter sense somewhat like *traître*, for which cf. page 44, note 4.

Page 76. — 1. **pour tout potage,** *nothing more.* For an explanation of the connection between the lit. and fig. meanings of the phrase cf. Darmesteter, *La Vie des Mots*, s.v. *potage.* The juxtaposition of *potage* and *cuisinier* makes the expression all the more piquant.

2. **un faquin de cuisinier,** lit., "a scoundrel of a cook"; trans., *a worthless cook.*

3. **Passe encore pour mon maître,** *as far as my master is concerned, well and good; it may be well enough for my master.*

4. **pour** = *quant à.*

ACT III. SCENE 3.

Page 77. — 1. **je ne le sais que trop,** *i.e.* on account of his disagreeable experience a short time ago.

ACT III. SCENE 4.

2. **supplice,** *rack* (*i.e.* Harpagon).

Page 78. — 1. **connaître** = *voir* or *reconnaître.*

2. **se défendre de quelque chose,** *to deny something.*

3. **quel il est,** here = *qui il est.* In modern French the meaning of *quel est-il* is generally restricted to "what kind of a man is he?"

4. **il est fait d'un air,** *his (whole) manner is such as.* (*Air* here = *manière.*)

5. **débitent fort bien leur fait,** *plead their cause very skilfully.* **Fait** = *ce que l'on a à dire ou à faire.*

6. **il vaut mieux . . . de prendre.** Cf. page 71, note 3.

7. **n'est pas pour durer,** *cannot last long.* Cf. page 46, line 2.

Page 79. — 1. **suivre** = *favoriser.*

2. **aux conditions.** We should expect *à condition*, but Frosine probably thinks of the legal document to be drawn up in which it was customary to use the word in the plural.

3. **figure,** *face.*

ACT III. SCENE 5.

4. **lunettes.** Cf. page 56, line 21, and page 57, line 2. Notice the different meanings of the word *lunettes,* "glasses," "spectacles" and "telescopes." By this play on words Harpagon is afforded an opportunity to pay Mariane what he intends as a fine compliment.

Page 80. — 1. **avoir honte à,** now rather *avoir honte de,* when followed by an infinitive.

ACT III. SCENE 6.

2. **Madame.** This title was used by itself of the wife of *Monsieur,* the king's brother. In ordinary life it was applied to ladies belonging to the nobility, but strictly only to those with high titles. It was sometimes given to unmarried noble ladies. Here the title may have been used abusively by way of copying *la haute société,* or Molière may have simply conformed to the etiquette of the theatre, for we are not certain that Harpagon and hence his daughter belong to the nobility, nor is Élise as yet acquainted with Mariane's social status. Women, married or unmarried, who did not belong to the nobility, were addressed *Mademoiselle.*

Page 81. — 1. **faire la (sa) révérence à,** *to pay one's respects to.*

2. **me,** i.e. *that I have.* The *me* is a dative denoting the possessor. Cf. page 119, line 1: *je lui ai vu une cassette.*

ACT III. SCENE 7.

3. **Madame,** etc. Cf. Quinault, *La Mère coquette*, V, 5.

Page 82. — 1. **avec** = *malgré*.

2. **vous . . . faudra** = *vous le prendrez comme il faut. Serez, faudra:* This formal correspondence of tenses was frequent in the seventeenth century. Cf. Haase, *Syntaxe*, § 67 C.

3. **où,** now *pour lequel*.

4. **comme** = *combien*.

5. **égales,** (*the*) *same* (*as far as Mariane is concerned*). She entertains the same feelings (*choses*) for him as he does for her.

6. **auriez.** The use of the conditional after *si*, "if," is admissible even now when a phrase is understood between *si* and the conditional as here: *Si vous auriez* = *s'il est vrai que vous auriez*.

Page 83. — 1. (it is true also that) **je n'en aurais,** etc.

2. **à sot . . . de même,** *answer a fool according to his folly.* **De même,** here = *pareille*.

3. **promettre,** here = *assurer*.

4. **C'est beaucoup de bonté à vous,** *it is very kind of you.* (*A vous*, possessive dative.)

Page 84. — 1. **trahir mon cœur,** *to act contrary to my feelings, to be false to my heart.*

2. **Avez . . . discours,** *will you not change the subject?*

3. **à mes regards** = *à mon avis, en ce qui me touche.*

4. **c'est,** sc. *une chose.*

5. **procureur,** *spokesman.*

Page 85. — 1. **oranges de la Chine** — a very rare and expensive fruit at that time.

2. **querir** = *chercher*, now used only in the infinitive and after a verb of motion, as here.

Page 86. — 1. **Nenni** (pronounce nà-ni). "Nenni est à la fois familier, caressant et à demi ironique. Il y a quelque chose de doux pour Mariane et de railleur pour Harpagon." (Lavigne.)

Page 88. — 1. **la** refers to *bague* mentioned in the stage-directions on page 87, before line 4.

ACT III. SCENE 8.

Page 89. — 1. **empêché,** here = *occupé.*

ACT III. SCENE 9.

2. **Cela ne sera rien.** These words produce a comic effect on account of their close proximity to *me faire rompre le cou.*

ACT IV. SCENE 1.

Page 91. — 1. **déplaisir.** Cf. page 11, note 2.

2. **traverse,** *obstacle, trial.*

Page 92. — 1. **détourner** (*quelque chose à quelqu'un*), for the more usual *de quelqu'un.* Cf. page 136, note 6.

2. **suis-je en pouvoir de faire** = *puis-je prendre.*

3. **que,** now *autre chose que.*

4. **officieuse,** *active, helpful.*

5. **en ma place,** now *à ma place.*

6. **où** = *à quoi.*

7. **que de me renvoyer** = *en me renvoyant.* The expletive *que* is used for emphasis as if the phrase read *où est-ce me réduire que de me renvoyer.* — **Renvoyer,** "to refer."

Page 93. — 1. **agissez auprès d'elle.** Cf. page 7, note 10.

2. **licence,** obsolete for *permission.*

3. **âme de bronze,** *heart of flint.*

4. **tendresse,** here = *tendance, penchant.*

5. **en tout bien et en tout honneur,** *with the most honorable intentions, with honorable intentions.*

6. **Ouvre-nous des lumières** = *indique-nous ce qu'il faut faire* or *give us some advice.*

Page 94. — 1. **et tâcher . . . personne.** Notice the change of construction after *il faudrait,* uncommon in modern French.

2. **la basse Bretagne,** *Lower Brittany,* a part of the former French province of Brittany, was considered at that time as being rather remote from Paris and if Frosine should carry out her project Harpagon might find it difficult to make inquiries regarding the identity of the supposed marchioness or viscountess — perhaps he could not even remember her strange Breton name (*bizarre*

nom). For such strange sounding names cf. Boisrobert, *La Belle Plaideuse*, II, 3.

3. **serait.** Cf. page 82, note 2.

Page 95. — 1. **prêtât.** Cf. page 7, note 7.

2. **voir clair,** *see through.* — **effets,** *property.*

3. **ressouvenir.** Cf. page 63, note 2.

4. **qui sera notre fait,** *who will suit our purpose.* Some commentators have blamed Molière for not making Frosine carry out this plan. The fact, however, that Harpagon's suspicion is thoroughly aroused by his discovery of Cléante's love for Mariane (IV, 3) and the miser's willingness to give up his sweetheart, provided he gets his money back (V, 6), obviate the necessity for any stratagem on the part of Frosine who, after all, shows her ingenuity by hitting upon a plan, which might have proved very useful in case of need.

5. **y,** now rather *pour cela.*

ACT IV. SCENE 2.

Page 96. — 1. **prétendue,** here = *future.*

ACT IV. SCENE 3.

2. **intérêt . . . à part,** *leaving the question of step-mother out of consideration.*

Page 97. — 1. **Mais encore,** "be more definite," "explain yourself."

2. **ici,** i.e. *just now.*

3. **pour,** when preceded and followed by the same noun, often denotes comparison. Cf. Littré, s. v. 14°.

4. **Si bien donc que . . .,** *i.e.* "so then I may infer that . . ."

Page 98. — 1. **marier** = *me marier.* Cf. page 63, note 1.

2. **engagé de parole.** Harpagon distinguishes here between an oral and a written engagement. Cf. page 3, note 3.

3. **se faire de l'effort** = *faire* (*un*) *effort sur soi-même.*

Page 99. — 1. **ce sont des suites,** i.e. *results may follow.*

2. **se commettre,** here = *s'exposer, se risquer.*

3. **vous.** Note change from *tu* to *vous*, and later to *tu* again.

Page 101. — 1. **Oh sus!** interjection, *now then!*

2. **Oui,** here *ah*, or *so*.

3. **aller sur mes brisées,** *to trespass on my ground, to be my rival.* *Brisées* (cf. *briser*, "to break"), branches of trees broken off (by huntsmen so that they may know where the game has passed). Hence the figurative meaning, to follow some one's footsteps with a view to reaping the fruit of his efforts.

ACT IV. SCENE 4.

Page 102. — 1. **qu'est-ce ci.** In the editions of 1692, 1730 and 1733 we find *qu'est ceci?*

2. **de cela,** i.e. *des coups de bâton.* Cf. line 6.

Page 103. — 1. **Laisse-moi faire.** Harpagon is about to strike Cléante.

2. **Encore passe pour moi,** *if it were I, it would not matter so much.* Cf. page 76, lines 13, 14.

3. **J'y consens** etc. Cf. Ariosto's *I Suppositi* (I, 2).

Page 104. — 1. **je n'y recule point** (*reculer à*, obsolete), *I do not object, I submit.*

2. **se rapporter à** (*quelqu'un de quelque chose*) = *lui en remettre la décision.*

Page 105. — 1. **étrange,** here *obstinate, unreasonable.*

2. **se mettre à la raison,** *to yield*, or *listen to reason.*

Page 106. — 1. **Il n'y a pas de quoi** (sc. *m'être obligé*, or *me remercier*).

2. **Tu m'as fait plaisir,** etc. Cf. *Les Esprits* (III, 6).

ACT IV. SCENE 5.

Page 107. — 1. **à vous.** Cf. page 83, note 4.

2. **se ranger,** here in the sense of *se soumettre.*

Page 108. — 1. **trop,** often used in Molière's time in the sense of *très*, as it had been much earlier.

Page 109. — 1. **Tu . . . prétendre.** *Se départir de* (= *renoncer à*), is no longer used with a complementary infinitive, as here.

2. **derechef,** now rather *de nouveau.*

3. **Laisse-moi faire, traître,** *just let me get at you again, you rascal.*

ACT IV. SCENE 6.

Page 111. — 1. **bien,** *lucky, all right.*

2. **votre affaire,** *the very thing you need.*

ACT IV. SCENE 7.

3. **Au voleur,** etc. Cf. *Aulularia,* line 713 ff.; *Les Esprits,* III, 6; also *Merchant of Venice,* II, 8 and III, 1, and La Fontaine, *L'Avare qui a perdu son trésor,* Fables, IV, 20.

Page 112. — 1. **Arrête,** in the sense of *arrête-toi,* "stop!"

2. **coup,** *deed.*

3. **justice,** *authorities, officers of the law.*

4. **la question,** *the torture.* It was not abolished before the end of the eighteenth century.

5. **parle là.** Harpagon points towards the spectators in the lower part of the house.

6. **là-haut,** i.e. *in the gallery.*

7. **Allons vite, des commissaires,** etc. Cf. *Les Esprits,* (III, 6).

8. **archer,** *police-officer.* (Originally *archer = soldat armé d'un arc.*) — **prévôt,** *provost,* municipal officer. "Les prévôts étaient chefs des archers," Livet, *Lexique.* — **gênes,** here in the now obsolete sense of *tortures.*

ACT V. SCENE 1.

Page 113. — 1. **demander justice de la justice,** *to go to law with the law, to summon the law before the law.*

Page 114. — 1. **Dix mille écus.** The edition of 1682 adds *en pleurant.*

2. **trébuchant,** *of full weight.*

"Une monnaie *trébuchante* était... une monnaie dont le poids dépassait d'un demi-grain le poids légal, en prévision (anticipation) de l'usure (wear). Il fallait qu'elle fût bien neuve pour faire *trébucher* (to turn, weigh down) la balance." (Livet, *Lexique.*)

ACT V. SCENE 2.

Page 115. — 1. **dont il sort.** Originally an adverb of place, *dont,* was frequently used in the seventeenth century for *d'où.* Cf. Haase, *Syntaxe,* § 37.

2. **me**, an ethical dative. The construction shows the interest "maître Jacques" takes in his work.

3. For a similar misunderstanding. Cf. *Aulularia*, lines 390–392.

4. **scandaliser**, obsolete in the sense of "to compromise (by a scandal)," "to bring into disrepute."

5. **dans la douceur**, now *en douceur*. Molière uses both forms.

Page 117. — 1. **il n'est pas**; sc. *vraisemblable* or *possible*.

2. **venger.** "Maître Jacques" experiences a cruel joy at the prospect of being able to take vengeance on Valère. Fortunately Harpagon comes to his aid, for the miser, in his impatience, furnishes him all the information necessary for making Valère appear guilty of the theft.

3. **j'ai sur le cœur**, *I have weighing on my mind*, or *I bear him a grudge* (*for*).

4. **je vous ai bien dit**, *I was right in telling you*.

5. **les choses**, *how matters stand*, or *the real facts of the case*.

Page 118. — 1. **sur ce que.** Cf. page 56, note 4.

Page 119. — 1. **je lui ai vu**, *I saw him with*, or *I saw that he had*. For the dative, cf. page 81, note 2.

2. **comment est-elle faite**, *how did it look?* or *what was it like?*

3. **si on le veut prendre par là**, *if you look at it in that way*.

Page 120. — 1. **Il ne faut plus jurer de rien**, *hereafter one must not be too sure of anything*.

ACT V. SCENE 3.

Page 121. — 1. **Approche**, etc. Cf. *Aulularia*, IV, 10.

2. **prétendrais**, *hope, attempt*. In this sense modern French omits the preposition *de* before the following infinitive. Molière uses both constructions. Cf. page 25, line 10, etc., and Haase, *Syntaxe*, § 112, B.

Page 122. — 1. **aurais-je deviné**, *can it be possible that*, etc.

2. **il est ainsi**, now *il en est ainsi*.

3. **sang, entrailles.** Harpagon thinks of his money, Valère of Élise.

Page 123. — 1. **qui** instead of *qu'est-ce qui* (*what*) is intended to continue the quiproquo.

2. **qui porte les excuses,** *who excuses.* Cf. *Aulularia,* line 737.

Page 124. — 1. **Non ferai** (now, *je n'en ferai rien*), *I'll do nothing of the kind.*

2. **de par tous les diables** = *de la part de tous les diables,* "in the name of," or "by etc." In this and similar expressions *par* has taken the place of the noun *part.* Cf. *de par le roi* = *de la part du roi,* "by order, or in the name of the king."

3. **Qu'est-ce à dire cela,** "what does *this* mean?"

Page 125. — 1. **engagés d'être.** In the dictionary of the Academy only *engager à* is found.

2. **endiablé,** "possessed by the devil," here = *deucedly fond, deucedly in love.*

3. **donner (mettre) ordre à,** "to look" or "see to."

Page 126. — 1. **Ravoir, confesses:** this change of construction is now considered irregular.

2. **Cassette,** repeatedly used by the miser, was uttered aside and in a low voice according to the edition of 1734; this explains the prolonged misunderstanding.

3. **Hé! dis-moi,** etc. Cf. *Aulularia,* line 740 f.

Page 127. — 1. **Que . . . fille,** *what confused talk is this about my daughter,* or *why do you confuse* (*muddle up*) *things by talking about my daughter?* (Livet takes *brouiller* here in the sense of *troubler l'esprit,* so that the meaning of the sentence would be "why do you trouble our minds by talking about my daughter?" In the former case *que* is the direct object of *brouilles* (cf. *Littré,* s. v. 4°) and *nous* the dative; in the latter *que* is an adverb 'why,' and *nous* the accusative.)

Page 128. — 1. **à nous** (dative) **signer** = *à ce que nous nous signions* (Moriarty). Cf. however Haase, *Syntaxe,* pages 209 and 450.

2. **disgrâce** = *malheur.*

3. **rengrégement,** an archaic word meaning *augmentation, accroissement.* The word is used only when speaking of evil. Cf. *Aulularia,* line 801.

4. **le dû,** for *le devoir.*

5. **Moi,** ethical dative. Cf. page 115, note 2. **Procès,** indictment.

ACT V. SCENE 4.

Page 129. — 1. **Quatre bonnes murailles,** *i.e.* a convent.

2. **et . . . audace.** These words are intended for Valère.

3. **potence . . . roué tout vif.** According to the ancient laws of France, Valère, if a nobleman, might have been decapitated, not hung for the crime of *rapt par séduction*, as here. Breaking on the wheel was entirely out of the question since that punishment was applicable only to assassins and high-way robbers. Cf. page 132, lines 3–6.

"Pour assassinat, pour vol sur les grandes routes, le condamné était ordinairement puni de la roue : le bourreau lui étendait les membres sur les quatre bras d'une croix de Saint-André ; puis, avec une barre de fer, il lui brisait les os des avant-bras, des bras, des jambes, des cuisses, les reins : après l'avoir ainsi *rompu*, il l'exposait et le laissait mourir sur une roue de charrette." (A. Rambaud, *Civilisation Française*, II, page 150.)

4. **n'allez . . . paternel,** *do not go to the last extremes of paternal authority.* Modern usage requires *à*. Cf. Haase, *Syntaxe*, § 126, 3° *Dans*. A.

5. **aux mouvements.** The general tendency now is to replace *à* by *par* or *de* (here by *par*) after an infinitive used passively and depending upon *se laisser* and *se faire*. Cf. Haase, *Syntaxe*, § 125, E, *Remarque* II.

6. **s'offenser de quelqu'un** = *se sentir offensé de quelqu'un*. According to the Academy *s'offenser de* is used only in speaking of things. Cf. *s'offenser d'une raillerie*.

Page 130. — 1. **Tout . . . fait.** Cf. *Les Esprits*, V, 1.

ACT V. SCENE 5.

Page 131. — 1. **au,** i.e. *connected with.*

2. **On . . . le bien,** *they attack my property.*

3. **dont . . . galimatias,** *about which you make such a fuss.*

4. **vous rendre partie contre lui,** now *vous porter partie, to appear against him.* Harpagon wants to save himself the lawyers' fees.

5. **qui se serait donné,** an implied condition: if Elise should have pledged herself to some one else (Anselme would not claim her).

Page 132. — 1. **puisse.** The subjunctive denoting uncertainty after *croire*, *penser* and *oublier*, when used affirmatively, is rare in modern French.

2. **larrons de noblesse.** The great advantages resulting from being a nobleman induced many persons to usurp the title of nobility. This usurpation was carried to such an excess that between the years 1654 and 1667 as many as five royal edicts were issued against the pretenders to nobility. For further attacks upon these false noblemen cf. *l'École des Femmes* and *le Bourgeois gentilhomme.*

3. **bon** = *noble, bien placé.*

4. **voir clair.** Cf. page 95, note 2.

5. This indicates to Harpagon and Anselme that Valère's rank is not inferior to theirs.

Page 133. — 1. **Martin,** common in France and often with a flavor of humor. It occurs in a number of proverbs e.g. *on ne dit guère Martin qu'il n'y ait de l'âne,* which shows that the word is also used to mean donkey, stupid fellow, etc.

2. **prêt de** — *prêt à.*

Page 134. — 1. **désordres de Naples.** It is very likely that Molière had in mind here the insurrection of the Neapolitan populace in 1647, under the leadership of Masaniello (Tommaso Aniello). Many noble families suffered from cruel persecution during the revolt.

2. **prit amitié pour moi.** Modern usage requires *prendre quelqu'un en amitié.*

3. **concerter,** now *préparer,* as used here.

4. **quête** = *recherche.*

Page 135. — 1. **Hélas!** — Here a mere exclamation.

2. **imposez,** here *deceive.*

3. **aussi.** Cf. page 32, note 2.

4. **déchirée,** *squandered, plundered.*

Page 136. — 1. **l'hymen d'une;** *de* for *avec,* or according to Humbert, *l'hymen dune . . . personne* (sc. *avec moi*).

2. **vu** (not *vue*), since the emphasis is on *peu.*

3. **à retourner,** for *en retournant,* or *si je retournais.* Cf. page 53, note 4.

4. **m'a fait y renoncer** = *m'y a fait renoncer.*

5. **s'habituer,** obsolete in the sense of "to settle in a place for good."

6. **m'éloigner** = *éloigner de moi, m'épargner.* — **Les chagrins,** i.e. *les souvenirs pénibles* (*attachés à cet autre nom*). Desfeuilles.

7. **prendre à partie,** *to sue;* trans., *I shall hold you responsible,* or *look to you.*

ACT V. SCENE 6.

Page 138. — 1. **en lieu dont je réponds,** synonymous with the modern expression *en lieu sûr*, or *en lieu de sûreté.* (Braunholtz.)

2. **N'en a-t-on rien ôté?** Cf. *Les Esprits,* V, 8.

Page 139. — 1. **redonne** = *rend.*

2. **ne faites point,** *do not force us* (or *people*).

3. **pour me donner conseil,** i.e. *before I can decide,* or *before I can listen to any counsel.* Others think that Harpagon expects counsel from his *cassette,* as if it were a human being.

Heath's Modern Language Series

FRENCH GRAMMARS, READERS, ETC.

Anecdotes Faciles (Super). 30 cts.
Armand's Grammaire Elémentaire. 60 cts.
Blanchaud's Progressive French Idioms. 65 cts.
Bouvet's Exercises in French Syntax and Composition. 80 cts.
Bowen's First Scientific French Reader. $1.00.
Bruce's Dictées Françaises. 35 cts.
Bruce's Grammaire Française. $1.25.
Bruce's Lectures Faciles. 60 cts.
Capus's Pour Charmer nos Petits. 50 cts.
Chapuzet and Daniel's Mes Premiers Pas en Français. 65 cts.
Clarke's Subjunctive Mood. An inductive treatise, with exercises. 50 cts.
Comfort's Exercises in French Prose Composition. 35 cts.
Davies's Elementary Scientific French Reader. 45 cts.
Edgren's Compendious French Grammar. $1.25. Part I, 40 cts.
Fontaine's En France. $1.00.
Fontaine's Lectures Courantes. $1.10.
Fontaine's Livre de Lecture et de Conversation. $1.00.
Fraser and Squair's Abridged French Grammar. $1.25.
Fraser and Squair's Complete French Grammar. $1.25.
Fraser and Squair's Shorter French Course. $1.20.
French Anecdotes (Giese and Cool). 45 cts.
French Verb Blank (Fraser and Squair). 35 cts.
Grandgent's Essentials of French Grammar. $1.20.
Grandgent's French Composition. 60 cts.
Grandgent's Short French Grammar. 85 cts.
Heath's French Dictionary. $1.60.
Hénin's Méthode. 50 cts.
Hotchkiss's Le Premier Livre de Français. 40 cts.
Knowles and Favard's Grammaire de la Conversation. $1.25.
Mansion's Exercises in French Composition. 65 cts.
Mansion's First Year French. For young beginners. 50 cts.
Méras' Le Petit Vocabulaire. 25 cts.
Pattou's Causeries en France. 75 cts.
Pellissier's Idiomatic French Composition. $1.20.
Perfect French Possible (Knowles and Favard). 40 cts.
Prisoners of the Temple (Guerber). For French composition. 30 cts.
Roux's Lessons in Grammar and Composition, based on *Colomba*. 20 cts.
Schenck's French Verb Forms. 20 cts.
Snow and Lebon's Easy French. 65 cts.
Story of Cupid and Psyche (Guerber). For French composition. 20 cts.
Super's Preparatory French Reader. 80 cts.

Heath's Modern Language Series

INTERMEDIATE FRENCH TEXTS. (Partial List.)

About's La Mère de la Marquise (Brush). Vocabulary. 50 cts.
About's Le Roi des Montagnes (Logie). 45 cts. With vocab. 55 cts.
Balzac: Cinq Scènes de la Comédie Humaine (Wells). Glossary. 60 cts.
Balzac's Eugénie Grandet (Spiers). Vocabulary. 60 cts.
Balzac's Le Curé de Tours (Super). Vocabulary. 35 cts.
Chateaubriand's Atala (Kuhns). Vocabulary. 40 cts.
Contes des Romanciers Naturalistes (Dow and Skinner). Vocab. 60 cts.
Daudet's La Belle-Nivernaise (Boielle). Vocabulary. 35 cts.
Daudet's Le Petit Chose (Super). Vocabulary. 45 cts.
Daudet's Tartarin de Tarascon (Hawkins). Vocabulary. 50 cts.
Dumas's Duc de Beaufort (Kitchen). Vocabulary. 35 cts.
Dumas's La Question d'Argent (Henning). Vocabulary. 45 cts.
Dumas's La Tulipe Noire (Fontaine). 45 cts. With vocabulary. 55 cts.
Dumas's Les Trois Mousquetaires (Spiers). Vocabulary. 50 cts.
Dumas's Monte-Cristo (Spiers). Vocabulary. 45 cts.
Feuillet's Roman d'un jeune homme pauvre (Bruner). Vocabulary. 55 cts.
Gautier's Voyage en Espagne (Steel). 35 cts.
Gréville's Dosia (Hamilton). Vocabulary. 50 cts.
Hugo's Bug Jargal (Boïelle). 45 cts.
Hugo's La Chute. From *Les Miserables* (Huss). Vocabulary. 35 cts.
Hugo's Quatre-vingt-treize (Fontaine). Vocabulary. 55 cts.
Labiche's La Cagnotte (Farnsworth). 35 cts.
La Brète's Mon Oncle et mon Curé (Colin). Vocabulary. 50 cts.
Lamartine's Graziella (Warren). 45 cts.
Lamartine's Jeanne d'Arc (Barrère). Vocabulary. 40 cts.
Lamartine's Scènes de la Révolution Française (Super). Vocab. 45 cts.
Lesage's Gil Blas (Sanderson). 50 cts.
Maupassant: Huit Contes Choisis (White). Vocabulary. 40 cts.
Michelet: Extraits de l'histoire de France (Wright). 40 cts.
Musset: Trois Comédies (McKenzie). 35 cts.
Sarcey's Le Siège de Paris (Spiers). Vocabulary. 50 cts.
Taine's L'Ancien Régime (Giese). Vocabulary. 70 cts.
Theuriet's Bigarreau (Fontaine). Vocab. and exercises. 40 cts.
Tocqueville's Voyage en Amérique (Ford). Vocabulary. 45 cts.
Vigny's Cinq-Mars (Sankey). Abridged. 65 cts.
Vigny's Le Cachet Rouge (Fortier). 30 cts.
Vigny's La Canne de Jonc (Spiers). 45 cts.
Voltaire's Zadig (Babbitt). Vocabulary. 50 cts.

Heath's Modern Language Series

ELEMENTARY GERMAN TEXTS. (Partial List.)

Andersen's Bilderbuch ohne Bilder (Bernhardt). Vocabulary. 35 cts.

Andersen's Märchen (Super). Vocabulary. 55 cts.

Aus der Jugendzeit (Betz). Vocabulary and exercises. 45 cts.

Baumbach's Nicotiana (Bernhardt). Vocabulary. 35 cts.

Baumbach's Waldnovellen (Bernhardt). Six stories. Vocabulary. 40 cts.

Benedix's Der Prozess (Wells). Vocabulary. 30 cts.

Benedix's Nein (Spanhoofd). Vocabulary and exercises. 30 cts.

Blüthgen's Das Peterle von Nürnberg (Bernhardt). Vocab. and exs. 40 cts.

Bolt's Peterli am Lift (Betz). Vocabulary and exercises. 45 cts.

Campe's Robinson der Jüngere (Ibershoff). Vocabulary. 45 cts.

Carmen Sylva's Aus meinem Königreich (Bernhardt). Vocabulary. 40 cts.

Die Schildbürger (Betz). Vocabulary and exercises. 40 cts.

Der Weg zum Glück (Bernhardt). Vocabulary and exercises. 45 cts.

Deutscher Humor aus vier Jahrhunderten (Betz). Vocab. and exercises. 45 cts.

Elz's Er ist nicht eifersüchtig (Wells). Vocabulary. 30 cts.

Gerstäcker's Germelshausen (Lewis). Vocabulary and exercises. 35 cts.

Goethe's Das Märchen (Eggert). Vocabulary. 35 cts.

Grimm's Märchen and Schiller's Der Taucher (Van der Smissen). 50 cts.

Hauff's Das kalte Herz (Van der Smissen). Vocab. Roman type. 45 cts.

Hauff's Der Zwerg Nase (Patzwald and Robson). Vocab. and exs. 35 cts.

Heyse's L'Arrabbiata (Deering-Bernhardt). Vocab. and exercises. 35 cts.

Heyse's Niels mit der offenen Hand (Joynes). Vocab. and exercises. 35 cts

Hillern's Höher als die Kirche (Clary). Vocabulary and exercises. 35 cts.

Leander's Träumereien (Van der Smissen). Vocabulary. 45 cts.

Münchhausen: Reisen und Abenteuer (Schmidt). Vocabulary. 35 cts.

Rosegger's Der Lex von Gutenhag (Morgan). Vocab. and exercises. 45 cts.

Salomon's Die Geschichte einer Geige (Tombo). Vocab. and exercises. 35 cts.

Schiller's Der Neffe als Onkel (Beresford-Webb). Vocabulary. 35 cts.

Spyri's Moni der Geissbub (Guerber). Vocabulary. 35 cts.

Spyri's Rosenresli (Boll). Vocabulary. 30 cts.

Spyri's Was der Grossmutter Lehre bewirkt (Barrows). Vocab. and exs. 35 cts.

Storm's Geschichten aus der Tonne (Vogel). Vocab. and exs. 45 cts.

Storm's Immensee (Bernhardt). Vocabulary and exercises. 35 cts.

Storm's In St. Jürgen (Wright). Vocabulary and exercises. 40 cts.

Storm's Pole Poppenspäler (Bernhardt). Vocab. and exercises. 45 cts.

Till Eulenspiegel (Betz). Vocabulary and exercises. 35 cts.

Volkmann's Kleine Geschichten (Bernhardt). Vocabulary. 35 cts.

Zschokke's Der zerbrochene Krug (Joynes). Vocabulary and exercises. 30 cts.

Heath's Modern Language Series

ADVANCED GERMAN TEXTS. (Partial List.)

Dahn's Ein Kampf um Rom (Wenckebach). Abridged. 60 cts.
Dahn's Sigwalt und Sigridh (Schmidt). 30 cts.
Deutsche Reden (Tombo). $1.00.
Ein Charakterbild von Deutschland (Evans and Merhaut). **$1.00.**
Frenssen's Jörn Uhl (Florer). $1.00.
Freytag's Aus dem Jahrhundert des grossen Krieges (Rhoades). 40 cts.
Freytag's Aus dem Staat Friedrichs des Grossen (Hagar). 35 cts.
Freytag's Das Nest der Zaunkönige (Roedder and Handschin). 80 cts.
Freytag's Rittmeister von Alt-Rosen (Hatfield). 55 cts.
Freytag's Soll und Haben (Files). Abridged. 70 cts.
Goethe's Dichtung und Wahrheit (I–IV). Buchheim. **$1.10.**
Goethe's Egmont (Hatfield). 70 cts.
Goethe's Faust (Thomas). Part I, $1.25. Part II, **$1.50.**
Goethe's Hermann und Dorothea (Hewett). 90 cts.
Goethe's Iphigenie (Rhoades). 65 cts.
Goethe's Meisterwerke (Bernhardt). **$1.25.**
Goethe's Poems (Harris). **$1.00.**
Goethe's Torquato Tasso (Thomas). 80 cts.
Grillparzer's Der Traum, ein Leben (Meyer). **45 cts.**
Hebbel's Agnes Bernauer (Evans). 50 cts.
Heine's Poems (White). 80 cts.
Herzog's Die Burgkinder (Boetzkes). Abridged. Vocabulary. **65 cts.**
Körner's Zriny (Holzwarth). 40 cts.
Lessing's Emilia Galotti (Winkler). 65 cts.
Lessing's Minna von Barnhelm (Primer). 65 cts. With vocabulary, 70 cts.
Lessing's Nathan der Weise (Primer). 90 cts.
Ludwig's Zwischen Himmel und Erde (Meyer). 70 cts.
Meyer's Jürg Jenatsch (Kenngott). Abridged. 70 cts.
Mörike's Mozart auf der Reise nach Prag (Howard). 40 cts.
Scheffel's Ekkehard (Wenckebach). Abridged. 60 cts.
Scheffel's Trompeter von Säkkingen (Wenckebach). Abridged. **55 cts.**
Schiller's Ballads (Johnson). 65 cts.
Schiller's Wallensteins Tod (Eggert). 70 cts.
Sudermann's Der Katzensteg (Wells). Abridged. Glossary. 65 cts.
Sudermann's Frau Sorge (Leser and Osthaus). Vocabulary. **$1.00.**
Sudermann's Heimat (Schmidt). 40 cts.
Sudermann's Johannes (Schmidt). 40 cts.
Sudermann's Teja (Ford). Vocabulary. 35 cts.
Thomas's German Anthology. $2.25.
Wildenbruch's Die Rabensteinerin (Ford). 40 cts.
Wildenbruch's Harold (Eggert). 40 cts.